Du souper au lunch

Une variante lunch pour chaque recette

CAR
ACT
ÈRE

Conception de la couverture : Geneviève Laforest
Illustrations (couverture et intérieur) : Shutterstock
Conception de la grille graphique : Bruno Paradis
Adaptation de la grille graphique et mise en pages : Geneviève Laforest
Révision : Kim Raymond
Correction d'épreuves : Cynthia Cloutier Marenger

Imprimé au Canada

ISBN : 978-2-89642-599-0

Dépôt légal – Bibliothèque et Archives nationales du Québec, 2012
© 2012 Éditions Caractère

Les Éditions Caractère remercient le gouvernement du Québec – Programme de crédit d'impôt pour l'édition de livres – Gestion SODEC.

Les Éditions Caractère reconnaissent l'aide financière du gouvernement du Canada par l'entremise du Fonds du livre du Canada pour leurs activités d'édition.

Visitez le site des Éditions Caractère
editionscaractere.com

Du souper au lunch

Une variante lunch pour chaque recette

ZOÉ GUÉNETTE

Contenu

Introduction

Avec le rythme effréné de la vie quotidienne, les minutes sont pratiquement comptées : entre la famille, le travail, la vie sociale et quoi encore, trouver le temps de préparer des plats maison relève de l'exploit, et inclure de la variété dans notre alimentation devient parfois inimaginable tant l'horaire est serré.

Heureusement, avec quelques astuces, on peut trouver le moyen d'y arriver. C'est exactement ce que propose ce livre : des recettes qu'on peut réinventer afin de transformer la nourriture préparée pour un repas en deux plats, un pour le souper, et une variante qui s'adapte bien au repas du midi, souvent plus léger ou plus rapide.

Exit les restes platement réchauffés au four à micro-ondes du bureau ou de la polyvalente : quand on déguste un nouveau plat plutôt que de remanger exactement ce qu'on a préparé la veille au soir, on résiste sans peine aux invitations des collègues qui n'ont pas leur lunch, ou dont le dîner est nettement moins alléchant que le nôtre !

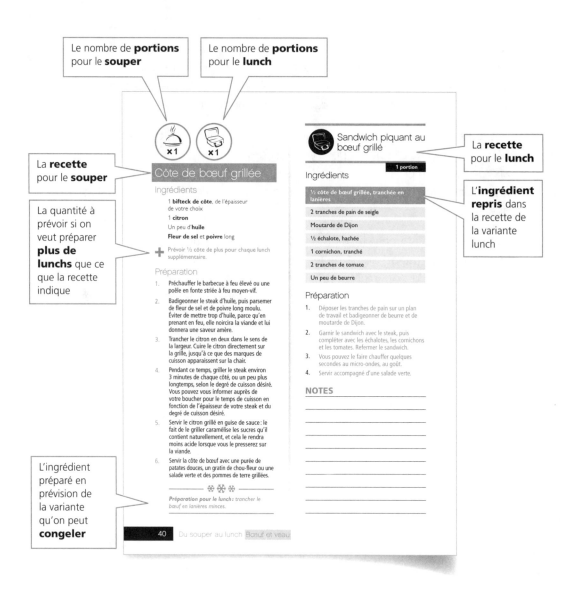

Le nombre de **portions** pour le **souper**

Le nombre de **portions** pour le **lunch**

La **recette** pour le **souper**

La quantité à prévoir si on veut préparer **plus de lunchs** que ce que la recette indique

L'ingrédient préparé en prévision de la variante qu'on peut **congeler**

La **recette** pour le **lunch**

L'**ingrédient repris** dans la recette de la variante lunch

×1 **×1**

Côte de bœuf grillée

Ingrédients

1 **bifteck de côte**, de l'épaisseur de votre choix
1 **citron**
Un peu d'**huile**
Fleur de sel et **poivre long**

➕ Prévoir ½ côte de plus pour chaque lunch supplémentaire.

Préparation

1. Préchauffer le barbecue à feu élevé ou une poêle en fonte striée à feu moyen-vif.
2. Badigeonner le steak d'huile, puis parsemer de fleur de sel et de poivre long moulu. Éviter de mettre trop d'huile, parce qu'en prenant en feu, elle noircira la viande et lui donnera une saveur amère.
3. Trancher le citron en deux dans le sens de la largeur. Cuire le citron directement sur la grille, jusqu'à ce que des marques de cuisson apparaissent sur la chair.
4. Pendant ce temps, griller le steak environ 3 minutes de chaque côté, ou un peu plus longtemps, selon le degré de cuisson désiré. Vous pouvez vous informer auprès de votre boucher pour le temps de cuisson en fonction de l'épaisseur de votre steak et du degré de cuisson désiré.
5. Servir le citron grillé en guise de sauce : le fait de le griller caramélise les sucres qu'il contient naturellement, et cela le rendra moins acide lorsque vous le presserez sur la viande.
6. Servir la côte de bœuf avec une purée de patates douces, un gratin de chou-fleur ou une salade verte et des pommes de terre grillées.

——— ❄ ❄ ❄ ———

Préparation pour le lunch : trancher le bœuf en lanières minces.

40 Du souper au lunch Bœuf et veau

Sandwich piquant au bœuf grillé

1 portion

Ingrédients

| ½ côte de bœuf grillée, tranchée en lanières |
| 2 tranches de pain de seigle |
| Moutarde de Dijon |
| ½ échalote, hachée |
| 1 cornichon, tranché |
| 2 tranches de tomate |
| Un peu de beurre |

Préparation

1. Déposer les tranches de pain sur un plan de travail et badigeonner de beurre et de moutarde de Dijon.
2. Garnir le sandwich avec le steak, puis compléter avec les échalotes, les cornichons et les tomates. Refermer le sandwich.
3. Vous pouvez le faire chauffer quelques secondes au micro-ondes, au goût.
4. Servir accompagné d'une salade verte.

NOTES

_____
_____
_____
_____
_____
_____
_____
_____
_____
_____

Une question d'organisation...

On ne peut se le cacher, préparer des repas maison les soirs de semaine demande toute une organisation : il faut choisir ce qu'on va manger, prévoir la liste des courses, faire l'inventaire de ce qu'on a déjà dans le garde-manger et, surtout, prendre le temps de préparer le repas qu'on a prévu. Avec quelques efforts supplémentaires, on peut en plus prévoir une variante rafraîchissante pour certains de nos plats préférés, pour introduire un peu de variété dans nos menus.

Que ce soit pour prévoir un souper prêt rapidement pour les soirs où on manque de temps, pour concocter des lunchs savoureux et différents du souper de la veille ou pour faire des réserves au congélateur, toutes les raisons sont bonnes pour revamper des repas bien connus en toute simplicité, avec quelques astuces d'organisation.

Prévoir

Pour être en mesure de transformer un repas en un second plat, il faut parfois y avoir pensé afin d'avoir à portée de main tous les ingrédients nécessaires. Si on sait à l'avance qu'on créera un second plat avec un repas, on peut en profiter pour acheter les ingrédients nécessaires à l'épicerie pour les deux recettes en même temps.

Congeler

Les ingrédients qui sont récupérés dans une variante peuvent parfois être congelés, ce qui permet de préparer un souper nouveau sans avoir à en faire la préparation complète : une véritable aubaine pour les soirées où l'horaire est serré ! Pour rendre le tout encore plus utile, on congèle les restes en portions pratiques, en prévoyant des lunchs pour une, deux, quatre personnes, selon le nombre de personnes que la famille comprend.

Table des recettes par catégories

RÔTIS, CARRÉS ET GIGOTS

SALADES

SANDWICH

Agneau et gibier

Fondue au cerf

Ingrédients

600 g de fines tranches de **viande de cerf**

6 **échalotes françaises**, émincées

½ branche de **céleri**, coupée grossièrement

2 gousses d'**ail**, écrasées avec le plat du couteau

Une branche de **thym**

½ tasse de **vin rouge**

5 tasses de **bouillon de bœuf** (ou de consommé) pauvre en sodium (un bouillon maison serait l'idéal puisqu'il permet de contrôler la quantité de sel)

Un peu d'**huile**

Sel et **poivre** du moulin

 Prévoir 120 g de viande pour chaque lunch supplémentaire.

Préparation

1. Dans le caquelon à fondue chauffé à feu moyen-vif, verser un peu d'huile et faire suer les échalotes et le céleri pendant 5 à 7 minutes. Ajouter l'ail et cuire 1 à 2 minutes de plus, jusqu'à ce qu'il embaume.

2. Saler, poivrer et ajouter le thym. Veiller à ne pas trop saler la préparation, car le bouillon réduira lors de la cuisson.

3. Ajouter le vin rouge et laisser la préparation réduire de moitié. Lorsqu'il reste environ ¼ de tasse de liquide dans le caquelon, ajouter le bouillon de bœuf.

4. Laisser mijoter à feu doux 15 minutes. Lorsque le bouillon devient légèrement sirupeux, installer le caquelon sur le brûleur à fondue et maintenir chaud.

5. Accompagner de pommes de terre déjà cuites, de morceaux de brocoli et de poivron crus et de champignons en quartiers que vous pourrez chauffer dans le bouillon. Servir avec du fromage, du pain et vos sauces préférées.

Note : Le cerf se trouve facilement dans la section des produits surgelés de votre épicerie. Pour les chasseurs, demandez à votre boucher d'utiliser la noix de ronde, l'intérieur de ronde ou le filet pour faire de belles tranches à fondue.

———— ❄ ❄ ❄ ————

Préparation pour le lunch : avant de ranger votre caquelon, cuire les tranches de viande restantes dans le bouillon, puis réfrigérer.

NOTES

Grilled cheese au cerf

1 portion

Ingrédients

Environ 5-6 tranches de cerf, cuites

2 tranches de pain croûté de votre choix (pain belge ou miche campagnarde au blé entier, par exemple)

60-75 g de fromage à croûte lavée (privilégier les pâtes fermes ou semi-fermes)

Un peu de beurre

Poivre du moulin

J'ai une préférence pour le fromage Gré des Champs, de la fromagerie du même nom, ou Le Mamirolle, de la fromagerie Éco-Délices.

Préparation

1. Préchauffer le grille-panini ou faire préchauffer une poêle à feu moyen-vif. Vous obtiendrez de meilleurs résultats avec une poêle en fonte striée. Si vous utilisez une poêle, préchauffer le four à 350 °F.

2. Beurrer l'extérieur des deux tranches de pain. Garnir l'une des deux tranches de pain avec la viande, puis poivrer au goût.

3. Râper le fromage ou en faire des tranches minces et les ajouter sur la viande. Fermer le sandwich.

4. Utiliser le grill-panini pour faire cuire le grilled cheese jusqu'à ce qu'il soit croustillant et doré à l'extérieur et que le fromage soit fondu à l'intérieur. Si vous utilisez un poêlon, déposer le sandwich dans celui-ci et presser à l'aide d'une spatule ou d'une assiette. Lorsque le dessous est bien doré et croustillant, retourner le sandwich et enfourner le tout. Cuire dans le four préchauffé de 5 à 10 minutes, jusqu'à ce que le fromage soit fondu. Surveiller pour éviter de trop cuire le sandwich.

NOTES

Carré de wapiti et son jus corsé

Si vous achetez le carré de wapiti au poids, 180 g de wapiti par personne suffiront (le poids inclut les os). Sinon, calculez en côtes : un os par personne.

Ingrédients

1 **carré de wapiti** d'environ 2 kg

1 **oignon**, coupé en quatre tranches épaisses

1 c. à thé de **pâte de tomate**

1 branche de **romarin**

2 gousses d'**ail** écrasées avec le plat du couteau

⅓ de tasse de **vin rouge**

1 tasse de fond de **gibier** ou de **veau** (en dernier recours, utiliser du bouillon de bœuf)

Un peu d'**huile**

Sel et **poivre** du moulin

➕ Prévoir environ 180 g de viande pour chaque lunch supplémentaire.

Préparation

1. Préchauffer le four à 400 °F.

2. Préparer la viande en la salant et poivrant au goût. Badigeonner d'huile.

3. Dans une poêle préchauffée à feu moyen-vif, verser un peu d'huile (ou un mélange d'huile et de beurre) et saisir le carré de wapiti de chaque côté jusqu'à ce qu'il soit bien doré.

4. Pendant ce temps, déposer les oignons dans un plat allant au four. Badigeonner le tout avec la pâte de tomate. Ajouter les branches de romarin et les gousses d'ail.

5. Lorsque la viande est bien colorée, déposer le carré dans le plat à cuisson préparé. À cette étape, vous pouvez déglacer la poêle avec quelques cuillères à soupe de vin rouge afin de récupérer les sucs de cuisson du wapiti. Si vous choisissez de le faire, verser le liquide obtenu dans le plat de cuisson.

6. Enfourner la viande. Au bout de 10 minutes, ouvrir la porte quelques secondes afin de tempérer le four.

7. Refermer la porte et y laisser la viande jusqu'à ce qu'un thermomètre à cuisson piqué au centre de la chair (prendre garde de ne pas toucher à un os) indique qu'elle ait atteint 54 °C. Vous pouvez poursuivre la cuisson si vous préférez votre viande à point, mais ne pas dépasser 65 °C : il s'agit d'une viande maigre, elle aura tendance à sécher rapidement.

8. Retirer la viande de la cocotte, couvrir d'un morceau de papier d'aluminium et réserver. Placer le plat à cuisson sur le feu, chauffer à feu moyen-vif, puis déglacer avec le vin rouge. Laisser réduire de moitié.

9. Si votre plat ne va pas sur la cuisinière, verser le vin au fond du plat alors qu'il est encore très chaud. Vous devrez gratter ce qui est collé au fond du plat à l'aide d'une spatule ou d'une cuillère de bois, là où se retrouvent les sucs de cuisson de la viande. Le meilleur est au fond ! Verser ensuite le liquide obtenu dans une petite casserole.

10. Une fois le plat parfaitement déglacé, ajouter le fond de gibier, puis porter à ébullition. Réduire le feu et laisser mijoter jusqu'à ce que la sauce ait la consistance nécessaire pour napper le dos d'une cuillère. Rappelez-vous qu'un fond contient plus de collagène qu'un bouillon et qu'il sera plus facile d'obtenir une belle texture en utilisant un fond.

11. Lorsque la sauce a atteint la consistance désirée, verser le mélange dans un chinois ou un tamis pour retirer les morceaux de légumes. Presser avec le dos d'une cuillère pour récupérer le maximum de sauce possible.

12. Ce plat s'accompagne très bien des légumes oubliés du Québec, c'est-à-dire de carottes, de panais, de petits oignons, de rutabagas et de pommes de terre de toutes sortes. Préférer les cuissons au four (rôtir ou

caraméliser) ou blanchir les légumes pour ensuite les sauter au beurre. Une simple salade accompagnée d'une pomme de terre au four pourrait tout aussi bien faire l'affaire.

Note : Vous pouvez toujours utiliser un carré de la viande sauvage de votre choix si vous le désirez ou si le wapiti n'est pas disponible, mais je vous suggère fortement d'essayer le wapiti. La viande de cet animal est délicieuse et son élevage est plus écologique que celui du bœuf. Demandez-la à votre boucher et vous serez charmé !

❄ ❄ ❄

Préparation pour le lunch : désosser les côtes restantes et couper la viande en fines tranches.

NOTES

Sandwich de wapiti aux cornichons

1 portion

Ingrédients

Environ 6 tranches fines de carré de wapiti

3 c. à soupe de mayonnaise

1 c. à soupe de moutarde de Meaux (moutarde à gros grains à l'ancienne)

½ échalote française, taillée en petits dés

1 c. à soupe de cornichons, hachés

Quelques gouttes de Tabasco ou une pincée de poivre de Cayenne

⅓ de baguette multigrain, la plus fraîche possible

1 c. à thé de câpres, hachées

Préparation

1. Trancher le pain en deux dans le sens de la longueur.

2. Mélanger tous les ingrédients (à l'exception de la viande et du pain). Rectifier l'assaisonnement au goût.

3. Badigeonner généreusement l'intérieur du pain avec ce mélange et garnir des tranches de wapiti. Refermer le sandwich et savourer !

NOTES

Gigot d'agneau au pesto

Ingrédients

1 gigot d'**agneau** d'environ 1,3 kg (3 lb)

1 **oignon**, coupé en cubes

1 c. à soupe de **moutarde de Dijon**

3 c. à soupe de **pesto**

4 gousses d'**ail**, hachées

1 c. à soupe de **sauce soya**

⅓ de tasse de **vin blanc**

1 c. à thé de **farine**

1 tasse de fond de **gibier** ou de **bœuf**

Un peu d'**huile**

Sel et **poivre** du moulin

✚ Prévoir 150 g de viande pour chaque lunch supplémentaire.

Préparation

1. Préchauffer le four à 375 °F.

2. Préparer la viande en salant et poivrant au goût. Dans une poêle chauffée à feu moyen-vif, verser un peu d'huile (ou un mélange d'huile et de beurre) et saisir le gigot de chaque côté jusqu'à ce qu'il soit bien doré.

3. Déposer la viande dans un plat allant au four avec les oignons coupés en cubes. À cette étape, vous pouvez déglacer la poêle avec quelques cuillères à soupe de vin blanc afin de récupérer les sucs de cuisson de l'agneau. Si vous choisissez de le faire, verser le liquide obtenu dans le plat de cuisson.

4. Mélanger la moutarde, le pesto, l'ail et la sauce soya, et badigeonner le gigot de ce mélange.

5. Enfourner et cuire jusqu'à ce qu'un thermomètre à cuisson inséré au centre de la viande (attention de ne pas toucher à un os) indique 75 °C (cuisson rosée). Prévoir environ 20 minutes de cuisson par livre.

6. Retirer le gigot du plat, le couvrir de papier d'aluminium et laisser reposer environ 15 minutes.

7. Mettre la cocotte sur le feu et chauffer à moyen-vif. Déglacer avec le vin blanc et racler le fond du plat avec une cuillère de bois pour bien décoller les sucs de cuisson.

8. Ajouter la farine en fouettant pour éviter la formation de grumeaux et poursuivre la cuisson 3 minutes en remuant constamment.

9. Incorporer le fond de gibier ou de bœuf et touiller pour mélanger. Baisser le feu et laisser réduire jusqu'à ce que la sauce ait atteint la consistance désirée.

10. Lorsque la sauce est prête, verser le mélange dans un chinois ou un tamis pour retirer les morceaux de légumes. Presser avec le dos d'une cuillère pour récupérer le maximum de sauce possible.

———— ❄ ❄ ❄ ————

Préparation pour le lunch : couper l'agneau en tranches minces.

NOTES

_____

_____

_____

_____

_____

_____

_____

_____

_____

_____

_____

_____

_____

_____

_____

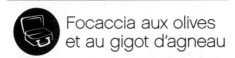

Focaccia aux olives et au gigot d'agneau

1 portion

Ingrédients

Environ 2 minces tranches de gigot d'agneau

1 petit pain de type focaccia (fougasse), aux olives

1 c. à thé de crème 15 % ou 35 %

1 c. à soupe de fromage Chèvre des Alpes au poivre noir

½ c. à thé de ciboulette, ciselée

3 tranches de tomate

1 feuille de laitue boston

Poivre du moulin

Un peu d'huile d'olive

Préparation

1. Préchauffer à feu moyen-vif une poêle en fonte striée.

2. Trancher la focaccia en deux.

3. Badigeonner d'huile d'olive le côté « mie » de chaque tranche de focaccia et griller dans la poêle jusqu'à ce que le pain soit légèrement doré.

4. Mélanger la crème avec le fromage de chèvre jusqu'à ce que le tout soit lisse. Ajouter la ciboulette et le poivre du moulin.

5. Badigeonner les tranches de pain du mélange de fromage de chèvre, puis y déposer la viande. Garnir avec les tranches de tomate et la feuille de laitue.

6. Fermer le sandwich et déguster.

NOTES

Magret de canard, fenouil braisé à l'orange

Voir la photo à la page 75.

Ingrédients

1 **magret de canard** (entre 350 g et 400 g)

1 **bulbe de fenouil**, émincé

½ tasse de **bouillon de légumes**

1 branche (⅕) d'**étoile de badiane** (anis étoilé)

Le zeste d'une **demi-orange**

⅓ de tasse de **vin blanc**

Le jus d'une **orange**

Sel et **poivre** du moulin

 Prévoir 150 g de viande pour chaque lunch supplémentaire.

Préparation

1. Préchauffer le four à 350 °F.

2. Beurrer un plat allant au four et y déposer le fenouil. Saler et poivrer le tout, et ajouter le bouillon de légumes ainsi que l'anis étoilé et le zeste d'orange. Cuire au four jusqu'à ce que le fenouil devient transparent (environ 15 à 20 minutes de cuisson).

3. Lorsque le fenouil est prêt, le retirer du plat et le réserver. Poser la cocotte sur le feu et chauffer à feu moyen. Réduire le jus de cuisson du fenouil jusqu'à ce qu'il reste environ ⅛ de tasse de liquide.

4. Préchauffer une poêle à feu moyen. Saler et poivrer le magret. Avec la pointe d'un couteau, faire des lignes dans le gras du magret pour former un carrelage. Attention de ne pas couper trop profondément : on ne veut pas entailler la chair.

5. Cuire le canard côté peau 5 minutes dans la poêle. Retourner et saisir le côté chair environ 3 minutes pour lui donner une belle coloration. Couvrir la viande de papier d'aluminium, puis réserver dans le four éteint. La chaleur qu'il aura dégagée lors du braisage est amplement suffisante pour finaliser la cuisson de votre canard.

6. Remettre la poêle sur le feu et y verser le vin blanc. Racler le fond de la poêle avec une cuillère de bois afin de bien décoller les sucs de cuisson. Ajouter le jus d'orange et laisser réduire. Ajouter le fond de braisage du fenouil et touiller pour mélanger.

7. Servir le fenouil braisé avec le magret et sa réduction à l'orange.

❋ ❋ ❋

Préparation pour le lunch : tailler le magret en fines lanières dans le sens de la longueur, puis couper chaque lanière en deux.

NOTES

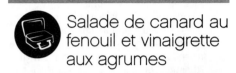

Salade de canard au fenouil et vinaigrette aux agrumes

1 portion

Ingrédients

150 g de fines tranches de magret de canard

Le jus d'une orange

Le zeste d'une orange

⅓ de tasse d'huile d'olive

1 c. à thé de moutarde de Dijon

2 c. à soupe de gras de canard (facultatif)

1 bulbe de fenouil, émincé finement

1 pamplemousse, coupé en suprêmes

1 orange, coupée en suprêmes

Un peu d'huile

Sel et poivre du moulin

½ tasse de roquette (facultatif)

Préparation

1. Préchauffer une poêle à feu moyen-vif et y verser un peu d'huile. Faire revenir les lanières de canard environ 5 à 8 minutes, jusqu'à ce qu'elles deviennent croustillantes. Réserver le magret de canard.

2. Remettre la poêle sur le feu sans la laver et y verser le jus et le zeste d'orange. Racler avec une cuillère de bois pour décoller les sucs de cuisson du canard. Saler et poivrer au goût, puis verser le mélange dans un bol non réactif.

3. Incorporer l'huile au mélange de jus d'orange. Verser en filet en fouettant constamment, puis incorporer la moutarde. Si désiré, incorporer le gras de canard fondu en fouettant. Réserver.

4. Émincer finement le fenouil (de préférence à la mandoline). Déposer dans un saladier. Ajouter les suprêmes de pamplemousse et d'orange. Mélanger avec de la roquette (facultatif).

5. Servir et garnir avec le « bacon » de magret.

Note : La recette sera réussie même si vous n'avez pas de gras de canard. N'ajoutez pas d'huile ; omettez simplement cette étape.

NOTES

Jarret de cerf aux épices et chou vert braisé

Ingrédients

1 **jarret de cerf** d'environ 15 cm de haut (mesurer avec l'os)

1 **chou vert**, émincé finement

1 c. à thé de **pâte de tomate**

1 **oignon**, en morceaux grossiers

1 **carotte**, en morceaux grossiers

1 branche de **céleri**, en morceaux grossiers

1 feuille de **laurier**

1 c. à thé de **poivre en grains**

1 **clou de girofle**

2 branches de **thym**

1 écorce d'**orange**

Entre 2 et 3 tasses de **bouillon de bœuf**

5 c. à soupe de **crème**

Un peu de **beurre**

Un peu d'**huile**

Sel et **poivre** du moulin

➕ Prévoir 2 tasses de chou pour chaque lunch supplémentaire.

Préparation

1. Préchauffer le four à 300 °F. Réserver 2 tasses de chou émincé pour le lunch du lendemain.

2. Préchauffer à feu moyen-vif une cocotte en fonte émaillée et y verser un peu d'huile (ou un mélange d'huile et de beurre). Saisir le jarret de tous les côtés (environ 5 minutes sur chaque face) jusqu'à ce qu'il ait une belle couleur dorée.

3. Incorporer la pâte de tomate et la faire cuire dans l'huile jusqu'à brunissement. Remuer constamment et ajouter de l'huile au besoin.

4. Ajouter l'oignon, la carotte, la branche de céleri, la feuille de laurier, le poivre en grains, le clou de girofle, une des deux branches de thym et l'écorce d'orange. Faire revenir environ 5 minutes à feu moyen-vif. Attention que le fond de la casserole ne brunisse pas trop. Une bonne coloration au fond donnera de la saveur à votre plat.

5. Mouiller le tout avec le bouillon de bœuf jusqu'à hauteur, c'est-à-dire jusqu'à ce que le liquide recouvre complètement les aliments. Au besoin, ajouter de l'eau pour compléter.

6. Couvrir la cocotte, enfourner et cuire jusqu'à ce que le jarret soit tendre et se défasse à la fourchette, soit environ 3 heures.

7. Retirer le jarret de la cocotte et réserver dans un plat. Passer le jus de cuisson au tamis pour en retirer les morceaux de légumes. Presser avec le dos d'une cuillère de bois pour récupérer le plus de sauce possible.

8. Remettre la sauce dans la cocotte ou dans une petite casserole et chauffer à feu moyen. Réduire de moitié environ, ou jusqu'à ce que la sauce ait atteint la consistance désirée. Si vous aimez les sauces plus corsées, vous pouvez poursuivre la réduction.

9. Pendant ce temps, faire fondre le beurre à feu doux dans une casserole. Saler, poivrer, ajouter le chou et une branche de thym effeuillée. Faire suer le chou à feu doux environ 10 minutes, puis ajouter la crème et une noix de beurre.

10. Verser l'emberrée de chou dans un plat à cuisson et enfourner. Cuire 20 minutes.

11. Servir le cerf effiloché avec l'embeurrée de chou.

12. **Variante :** Vous pouvez aussi faire cette recette à la mijoteuse : cuire le jarret en mode cuisson lente de 6 à 8 heures. Cette recette serait aussi excellente avec le jarret d'agneau ou de veau.

Préparation pour le lunch : émincer le chou en entier et conserver au froid dans un contenant hermétique.

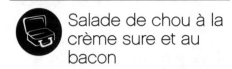

Salade de chou à la crème sure et au bacon

1 portion

Ingrédients

2 tasses de chou, émincé

¼ de tasse de crème sure

2 c. à soupe de crème fraîche épaisse

1 c. à thé de ciboulette, ciselée, ou de persil, haché

1 échalote française, taillée en petits dés

1 tomate, taillée selon votre goût

3 tranches de bacon cuit, émiettées

Sel et poivre du moulin

Préparation

1. Dans un saladier, mélanger la crème sure, la crème fraîche, le sel, le poivre, la ciboulette et l'échalote.

2. Ajouter le chou et les tomates, et mélanger. Rectifier l'assaisonnement au goût.

3. Servir et garnir de bacon.

NOTES

× 4-6 **× 2-3**

Tourtière de bison

Ingrédients

Environ 300 g de **bison** ou d'**orignal haché**

100 g de **porc haché**

5 tranches de **bacon**, coupées grossièrement

1 **pomme de terre blanche**, taillée en dés

1 **oignon**, taillé en petits dés

1 branche de **romarin**

¼ de c. à thé de **paprika**

¼ de c. à thé de **muscade**

¼ de c. à thé de **cannelle**

1 **pomme du Québec** de votre choix, taillée en dés

¼ de tasse de **jus d'orange**

¼ de tasse de **jus de pomme**

1 c. à soupe de **sirop d'érable** ou de **miel**

1 poignée de restants de **petits fruits**, frais ou congelés (au choix : fraises, framboises, bleuets, mûres, cerises de terre, etc.)

½ tasse de **fromage râpé** de votre réfrigérateur (oui, oui ! n'importe lequel puisque s'il est dans votre réfrigérateur, c'est qu'il sera à votre goût !)

1 jaune d'**œuf**

Un **fond de tarte** et une **croûte**

 Prévoir 1 ¼ tasse de viande hachée pour chaque lunch supplémentaire.

Préparation

1. Préchauffer le four à 425 °F.

2. Préchauffer une poêle à feu moyen-vif et y verser un peu d'huile (ou un mélange d'huile et de beurre). Faire sauter le bison, le porc, le bacon, la pomme de terre, l'oignon, les épices ensemble environ 10 minutes.

3. Ajouter la pomme, le jus d'orange, le jus de pomme, le miel, les petits fruits et le fromage.

4. Réduire le feu et cuire environ 15 minutes à feu moyen. Laisser refroidir le mélange.

5. Verser le mélange de viande dans le fond de la tarte. Badigeonner le pourtour du fond d'un peu de jaune d'œuf et refermer avec la croûte. Faire une entaille au centre de la croûte pour laisser passer la vapeur.

6. Badigeonner la croûte de jaune d'œuf en prenant soin de ne pas laisser de « petits lacs ».

7. Enfourner et cuire 10 minutes. Réduire le feu à 350 °F et poursuivre la cuisson environ 40 à 50 minutes, ou jusqu'à ce que la pâte soit cuite.

8. **Variante :** Vous pouvez remplacer le bison ou l'orignal par n'importe quelle viande sauvage de votre choix. Vous pouvez aussi utiliser du porc ou du bœuf.

———— ❄ ❄ ❄ ————

Préparation pour le lunch : *au moment de la préparation, réserver 2 ½ tasses de viande hachée crue.*

NOTES

Voir la photo à la page 76.

Sloppy Joe décadent, version améliorée

2-3 portions

Ingrédients

2 ½ tasses de viande hachée de porc et de bison
1 oignon, taillé en petits dés
1 gousse d'ail, hachée
1 piment cherry hot, haché
1 tasse de sauce tomate
3 c. à soupe de moutarde de Dijon
2 c. à soupe de parmesan râpé
Un pain à hamburger par personne
Un peu d'huile
Sel et poivre du moulin

Préparation

1. Préchauffer une poêle à feu moyen-vif et y verser un peu d'huile (ou un mélange d'huile et de beurre). Faire revenir l'oignon, l'ail et le piment avec la viande hachée crue jusqu'à ce que la viande soit opaque.

2. Ajouter la sauce tomate, la moutarde et le parmesan. Touiller pour bien mélanger et laisser réduire à feu moyen au besoin.

3. Saler, poivrer et servir chaud dans un pain à hamburger

❄❄❄

Ce lunch peut être congelé.

NOTES

Lapin à la moutarde et au miel

Voir la photo à la page 77.

Ingrédients

1 **lapin entier** d'environ 900 g (2 lb)

5 **échalotes françaises**, émincées

¼ de tasse de **vin blanc**

1 ⅓ tasse de **fond de volaille**

3 c. à soupe de **moutarde de Meaux** (moutarde à gros grains à l'ancienne)

3 c. à soupe de **moutarde de Dijon**

3 c. à soupe de **miel**

1 branche de **thym**

Un peu de **beurre**

Sel et **poivre** du moulin

➕ Prévoir une section de lapin (une cuisse, un dos ou deux épaules) pour chaque lunch supplémentaire.

Préparation

1. Préchauffer le four à 350 °F.

2. Préchauffer une cocotte à feu moyen-vif et y verser un peu de beurre (ou un mélange d'huile et de beurre). Saisir le lapin de tous les côtés jusqu'à ce qu'il soit bien doré, environ 5 minutes. Retirer le lapin et le réserver.

3. Ajouter les échalotes. Faire suer rapidement et déglacer avec le vin blanc. Racler le fond de la cocotte avec une cuillère de bois pour décoller les sucs de cuisson. Incorporer le fond de volaille.

4. Mélanger les deux moutardes et le miel, et badigeonner le lapin de ce mélange.

5. Ajouter la branche de thym dans le râble du lapin. Saler et poivrer la viande, à l'intérieur comme à l'extérieur. Déposer le lapin sur le lit d'échalotes et couvrir.

6. Enfourner. Prévoir 50 minutes de cuisson par livre de viande. Vous obtiendrez une viande très tendre.

7. Lorsque la viande est cuite à point, retirer du four et réserver le lapin.

8. Remettre la casserole sur le feu et chauffer à feu moyen. Réduire la sauce jusqu'à l'obtention de la texture désirée ou l'épaissir au moyen d'un roux, c'est-à-dire une quantité égale de beurre fondu et de farine cuits 5 minutes sur un feu moyen.

9. Servir la sauce avec le lapin.

——— ❄ ❄ ❄ ———

Préparation pour le lunch : désosser le lapin, puis réfrigérer la viande.

 # Salade tiède aux oignons caramélisés

1 portion

Ingrédients

¼ de tasse de viande de lapin désossée

2 oignons, émincés

1 poignée de raisin de Corinthe

1 radis rose, coupé en quartiers

¼ de tasse de concombre, taillé en dés

4 c. à soupe de vinaigre de cidre ou de framboise

1 tasse de jeunes pousses d'épinard

1 poignée de persil plat ou frisé, ciselé (ou moins, si vous le désirez : c'est votre repas après tout !)

½ tasse de toute autre feuille que vous trouverez : endive, chou frisé, cresson, roquette, chicorée, radicchio, elles sont toutes délicieuses.

Un peu de beurre

Sel et poivre du moulin

Préparation

1. Préchauffer une poêle à feu moyen et y faire fondre le beurre doucement. Ajouter les oignons et les raisins de Corinthe et cuire en remuant jusqu'à l'obtention d'une caramélisation uniforme. Vous pouvez ajouter une cuillère à soupe d'eau si les oignons ont tendance à coller. Ils seront pratiquement en purée après 10 à 15 minutes de cuisson.

2. Incorporer le lapin, le concombre et le radis, et touiller pour réchauffer.

3. Saler et poivrer, puis verser le vinaigre. Racler le fond de la poêle avec une cuillère de bois pour décoller les sucs de cuisson des oignons. Réserver.

4. Dans un grand saladier, mélanger les feuilles de votre choix avec les jeunes pousses d'épinard et le persil. Déposer le mélange de viande et d'oignons caramélisés sur la verdure.

NOTES

_____

_____

_____

_____

_____

_____

_____

_____

_____

_____

_____

_____

_____

_____

Wrap de lapin aux poires et à l'Oka

1 portion

Ingrédients

¼ de tasse de viande de lapin désossée

1 c. à soupe de fromage Crème Oka

½ c. à soupe de mayonnaise

1 feuille de laitue frisée

1 poire Anjou, tranchée

1 tortilla à la farine de blé (qu'elle soit blanche ou au blé entier; mais n'utilisez pas de tortilla à la farine de maïs, trop rigide pour ce genre de sandwich)

Poivre du moulin

Préparation

1. Dans un petit bol, mélanger le poivre, le Crème Oka et la mayonnaise.

2. Badigeonner la tortilla de ce mélange. Prenez soin d'en étaler partout.

3. Ajouter la feuille de laitue en laissant le bout frisé dépasser légèrement de la tortilla. Cela fera une jolie décoration à votre wrap. Garnir avec les tranches de poire et la viande de lapin.

4. Rouler la tortilla. Solidifier avec des cure-dents au besoin.

NOTES

_____

_____

_____

_____

_____

_____

×1 1-2

Cuisse de canard, poireau confit et chutney de fruits

Ingrédients

2 **cuisses de canard** confites (généralement emballées sous-vide dans la section « gibier à plumes » de votre épicerie)

½ tasse de **canneberges**, surgelées

½ tasse de **bleuets**, surgelés

½ tasse d'**oignon**, taillé en petits dés

1 **pomme verte**, taillée en dés

½ tasse de **jus d'orange**

½ tasse de **vinaigre de cidre**

2-4 **poireaux**, émincés (environ 3 tasses de poireau émincé)

¼ de tasse de **beurre**

 Prévoir 1 cuisse de plus pour chaque lunch supplémentaire.

Préparation

1. Pour faire le chutney, verser les canneberges, les bleuets, l'oignon, la pomme verte, le jus d'orange et le vinaigre de cidre dans une petite casserole et faire mijoter à feu doux 40 minutes ou jusqu'à l'évaporation du liquide. Réserver le tout.

2. Pour le confit de poireau, préchauffer une petite casserole à feu doux et y faire fondre le beurre doucement. Ajouter le poireau. Saler et poivrer, et cuire lentement le poireau à découvert, jusqu'à ce qu'il soit transparent. Réserver.

3. Réchauffer les cuisses en faisant tremper leur emballage sous-vide dans une casserole d'eau frémissante. Vous pouvez aussi les poêler à feu doux. Cette méthode aura pour avantage de faire croustiller la peau. Réserver au chaud.

4. Servir la cuisse de canard sur le confit de poireau et accompagner du chutney, que vous pouvez servir chaud, tiède ou froid.

Note : Ce chutney accompagne à merveille les plats gras comme le confit, le foie gras, la saucisse, etc. Utilisez-le comme sauce pour vos viandes sauvages ou pour rehausser les saveurs de vos brochettes ! Il peut se conserver jusqu'à six mois au réfrigérateur et un an au congélateur.

❅ ❅ ❅

Préparation pour le lunch : désosser la cuisse restante, puis réfrigérer.

NOTES

_____

_____

_____

_____

_____

_____

_____

_____

_____

_____

_____

_____

_____

_____

_____

_____

_____

_____

_____

Voir la photo à la page 78.

Rillettes de canard au poivre vert

1-2 portions

Ingrédients

De ¾ à 1 tasse de canard confit, effiloché

¼ de tasse de gras de canard

5 échalotes françaises, émincées

1 c. à thé de poivre vert écrasé (le poivre vert se vend en boîte de conserve et il est suffisamment mou pour qu'on puisse l'écraser avec le plat d'un couteau)

Sel

Préparation

1. Préchauffer une poêle à feu doux et y faire fondre le gras de canard. Cuire les échalotes en remuant souvent, jusqu'à ce qu'elles deviennent transparentes, environ 10 minutes. Ajouter le poivre vert 3 à 4 minutes avant la fin de la cuisson pour lui permettre de diffuser sa saveur.

2. Verser le mélange de gras et d'échalotes dans un chinois ou une passoire fine. Récupérer le gras et déposer les échalotes et le poivre vert dans un cul-de-poule. Ajouter le canard.

3. Mélanger lentement le tout. Ajouter le gras de canard en filet. Il se peut qu'il y ait trop de gras pour la quantité de viande ou à votre goût. Ajuster la quantité comme vous le préférez : vous pouvez en mettre moins ou plus sans que la recette ne soit gâchée pour autant.

4. Déposer les rillettes de canard dans un ramequin, un moule à pain ou toute autre sorte de moule. Réfrigérer.

5. **Variante :** Pour transformer cette recette de lunch en plat plus élégant, vous pouvez mettre les rillettes sur une plaque à cuisson et les découper à l'emporte-pièce. Pour vous faciliter la tâche, mouillez vos mains et humectez l'emporte-pièce de votre choix. Déposez-le sur la plaque et recouvrez-en l'intérieur avec une pellicule de plastique. L'eau permettra l'adhésion de la pellicule sur l'emporte-pièce, que vous n'aurez plus qu'à renverser pour démouler.

6. Servir les rillettes avec des craquelins ou du pain tranché.

NOTES

×4

×2

Kebab d'agneau au cumin

Voir la photo à la page 73.

Ingrédients

1 épaule d'**agneau** du Québec (environ 1 kg)

1 tasse de **yogourt nature**

3 c. à thé de **cumin**

Le zeste et le jus d'une **lime**

Sel et **poivre** du moulin

Quartiers de **lime**, si désiré

 Prévoir 120 g de viande pour chaque lunch supplémentaire.

Préparation

1. Détailler l'épaule dans le sens de la longueur pour former des bandes de 1 cm d'épaisseur. Vous pouvez demander à votre boucher de faire cette étape si vous le désirez.

2. Mélanger le yogourt avec le cumin, le zeste et le jus de lime.

3. Saler, poivrer, et déposer la viande dans un bol de plastique ou un sac hermétique avec le mélange de yogourt. Laisser mariner au réfrigérateur environ 12 heures.

4. Préchauffer le barbecue à feu vif. Vous pouvez aussi utiliser une poêle striée en fonte, mais le barbecue ajoute une saveur particulière aux aliments qui sied parfaitement à cette recette.

5. Piquer la viande sur des brochettes en métal de manière à ce que les lanières forment des ondulations sur la brochette. Si vous n'avez pas de brochettes en métal, vous pouvez utiliser des brochettes de bambou, que vous aurez préalablement fait tremper 45 minutes pour éviter qu'elles ne brûlent.

6. Cuire l'agneau directement sur la grille propre et huilée environ 4 minutes. Retourner et cuire environ 3 minutes de l'autre côté ou jusqu'au degré de cuisson désiré.

7. Servir avec du riz ou des légumes grillés, accompagnés d'un quartier de lime au goût.

❄ ❄ ❄

Préparation pour le lunch : hacher grossièrement la viande au couteau. Réfrigérer.

NOTES

Voir la photo à la page 74.

Parmentier d'agneau à la menthe

2 portions

Ingrédients

2 ½ tasses de viande d'agneau cuite, hachée au couteau

1 oignon, taillé en petits dés

2 tomates, coupées en dés

10 olives Kalamata, coupées grossièrement

2 branches de menthe, effeuillées, puis hachées

2 tasses de purée de pommes de terre chaude (au beurre, c'est toujours meilleur!)

Un peu d'huile

Sel et poivre du moulin

Préparation

1. Préchauffer le four à la fonction gril (*broil*).

2. Dans une poêle préchauffée à feu moyen, verser un peu d'huile et faire suer l'oignon à feu doux, jusqu'à ce qu'il soit translucide (il ne doit pas colorer). Ajouter les tomates, puis saler et poivrer.

3. Incorporer les olives, la menthe et l'agneau haché, et cuire le tout environ 5 minutes.

4. Déposer le mélange dans un plat allant au four (vous pouvez utiliser deux petits plats individuels). Recouvrir de la purée de pommes de terre chaude.

5. Passer les pommes de terre sous le gril du four jusqu'à coloration.

6. Émincer les feuilles d'une branche de menthe et en garnir le Parmentier.

7. Ce plat s'accompagne parfaitement d'une simple salade de verdure.

NOTES

Bœuf et veau

Côte de bœuf grillée

Ingrédients

1 **bifteck de côte**, de l'épaisseur de votre choix

1 **citron**

Un peu d'**huile**

Fleur de sel et **poivre** long

➕ Prévoir ½ côte de plus pour chaque lunch supplémentaire.

Préparation

1. Préchauffer le barbecue à feu élevé ou une poêle en fonte striée à feu moyen-vif.

2. Badigeonner le steak d'huile, puis parsemer de fleur de sel et de poivre long moulu. Éviter de mettre trop d'huile, parce qu'en prenant en feu, elle noircira la viande et lui donnera une saveur amère.

3. Trancher le citron en deux dans le sens de la largeur. Cuire le citron directement sur la grille, jusqu'à ce que des marques de cuisson apparaissent sur la chair.

4. Pendant ce temps, griller le steak environ 3 minutes de chaque côté, ou un peu plus longtemps, selon le degré de cuisson désiré. Vous pouvez vous informer auprès de votre boucher pour le temps de cuisson en fonction de l'épaisseur de votre steak et du degré de cuisson désiré.

5. Servir le citron grillé en guise de sauce : le fait de le griller caramélise les sucres qu'il contient naturellement, et cela le rendra moins acide lorsque vous le presserez sur la viande.

6. Servir la côte de bœuf avec une purée de patates douces, un gratin de chou-fleur ou une salade verte et des pommes de terre grillées.

Préparation pour le lunch : trancher le bœuf en lanières minces.

Sandwich piquant au bœuf grillé

1 portion

Ingrédients

½ côte de bœuf grillée, tranchée en lanières
2 tranches de pain de seigle
Moutarde de Dijon
½ échalote, hachée
1 cornichon, tranché
2 tranches de tomate
Un peu de beurre

Préparation

1. Déposer les tranches de pain sur un plan de travail et badigeonner de beurre et de moutarde de Dijon.

2. Garnir le sandwich avec le steak, puis compléter avec les échalotes, les cornichons et les tomates. Refermer le sandwich.

3. Vous pouvez le faire chauffer quelques secondes au micro-ondes, au goût.

4. Servir accompagné d'une salade verte.

NOTES

_____

_____

_____

_____

_____

_____

_____

_____

×4　　**×2**

Tacos

Ingrédients

1 lb de **bœuf haché mi-maigre**

1 **oignon**, coupé en petits dés

1 pincée d'**origan**

1 pincée de **paprika**

1 c. à thé de **cumin moulu**

1 c. à thé de **poudre de chili**

1 gousse d'**ail**, hachée

Quelques feuilles de **laitue iceberg**, émincées

½ tasse de **mozzarella**, râpée

¼ de tasse de **salsa**

¼ de tasse de **haricots rouges** concassés grossièrement (falcultatif)

1 **tomate**, coupée en dés

12 **coquilles à tacos**

Un peu d'**huile**

✚ Prévoir 1 tasse de viande hachée pour chaque lunch supplémentaire.

Préparation

1. Dans une poêle, à feu vif, faire chauffer l'huile, puis cuire l'oignon et le bœuf haché avec les épices et l'ail environ 10 minutes.

2. Déposer la laitue, la mozzarella, la salsa, les dés de tomate et les haricots dans des bols séparés pour que vous puissiez garnir les tacos à table.

3. Avec une pince, remplir les coquilles de tacos à moitié avec le mélange de viande, puis les remplir avec les garnitures selon votre goût.

———— ❄ ❄ ❄ ————

Préparation pour le lunch : réserver au froid la viande hachée cuite.

Voir la photo à la page 113.

Étagé de tortillas au cheddar

2 portions

Ingrédients

2 tasses de bœuf haché cuit

½ tasse de grains de maïs

6 tortillas de blé

1 tasse de cheddar, râpé

Préparation

1. Préchauffer le four à 350 °F.

2. Dans un bol, mélanger la viande hachée avec le maïs.

3. Déposer une tortilla au fond d'un plat allant au four et recouvrir du mélange de bœuf et de maïs. Garnir d'un peu de fromage.

4. Recommencer ces étapes jusqu'à l'épuisement des ingrédients. Couvrir la dernière tortilla d'une généreuse couche de fromage râpé.

5. Enfourner et cuire environ 20 minutes, ou jusqu'à ce que le mélange soit chaud.

6. Découper en pointes et servir avec une salade.

Note : Si vous êtes pressé, vous pouvez toujours faire chauffer le bœuf avec le maïs, et simplement faire griller une tortilla avec le fromage au four.

NOTES

_____

_____

_____

_____

_____

_____

_____

Voir la photo à la page 114.

Portobellos farcis

1 portion

Ingrédients

¼ **de tasse de viande hachée, cuite**

1 champignon portobello

2 échalotes, coupées en petits dés

1 gousse d'ail, hachée

Une pincée de feuilles de thym

4 c. à soupe de crème 35 %

Un peu de chapelure (1 c. à thé environ)

Une petite poignée de fromage de chèvre semi-ferme, râpé

Un peu de beurre

Sel et poivre du moulin

J'ai une préférence pour le fromage
Le Chevrochon, de la Fromagerie Fritz Kaiser.

Préparation

1. Préchauffer le four à 350 °F.

2. Enlever la queue du champignon en la cassant, puis réserver le chapeau. Couper la queue du champignon en petits dés.

3. Dans une poêle, faire fondre le beurre à feu doux, puis cuire les échalotes avec la viande, la queue du champignon, l'ail et le thym, jusqu'à ce que les échalotes deviennent transparentes, soit pendant environ 10 minutes. Saler et poivrer.

4. Ajouter la crème et réduire à feu doux jusqu'à ce qu'il n'y ait presque plus de liquide, soit pendant environ 10 minutes.

5. Déposer à la cuillère le mélange ainsi obtenu dans le chapeau du portobello.

6. Garnir avec le fromage, puis saupoudrer de chapelure pour ajouter un côté croustillant à l'ensemble.

7. Enfourner et cuire jusqu'à ce que le fromage soit fondu. Dix minutes devraient suffire. Par contre, le temps indiqué ici n'est que suggéré, car il variera selon votre préférence à l'égard de la cuisson du champignon, à savoir si vous l'aimez plus ferme ou plus fondant.

Note : Ce plat est « complet » en soit. Par contre, vous pouvez le servir avec des légumes sautés de votre choix, du pain ou une pomme de terre au four, par exemple.

NOTES

Hamburger de portobello à l'oignon caramélisé

1 portion

Ingrédients

⅓ de tasse de bœuf haché

1 oignon, émincé

1 chapeau de champignon portobello

1 pain à hamburger

Légumes pour garnir un hamburger (laitue, tomates, oignons, etc.)

Condiments

Un peu de beurre

Un peu d'huile

Sel et poivre du moulin

Préparation

1. Dans une poêle préchauffée à feu moyen-vif, faire fondre le beurre, puis colorer les oignons. Réduire le feu lorsque les oignons auront bruni, après environ 3 à 4 minutes de cuisson. Saler et poivrer, et poursuivre la cuisson à feu doux.

2. Lorsque les oignons seront caramélisés, c'est-à-dire lorsqu'ils auront une texture de compote, retirer du feu et réserver.

3. Préchauffer le barbecue à feu élevé.

4. Façonner le bœuf haché en galette.

5. Avec un pinceau, badigeonner de l'huile sur le chapeau du portobello, puis saler et poivrer.

6. Cuire la boulette de viande et le portobello directement sur la grille, et réchauffer le pain à chaleur indirecte.

7. Assembler le hamburger avec le reste des ingrédients et servir avec des frites ou une salade.

Note : Préparez une boulette plus grosse que votre pain, car le bœuf haché diminue beaucoup de volume lorsqu'il cuit. Si vous le désirez, vous pouvez mélanger la viande avec du porc haché, ce qui atténuera ce phénomène.

Petits pains farcis

4 portions

Ingrédients

1,3 kg de bœuf haché (un bon paquet de format familial fera l'affaire), cuit

1 oignon, coupé en petits dés

½ tasse de sauce chili du commerce ou de ketchup

1 boîte de conserve de 355 ml de soupe « gumbo » (de type Campbell)

3 c. à soupe de moutarde préparée

1 sac de 24 petits pains à salade

Sel et poivre du moulin

Un peu d'huile

Préparation

1. Dans une poêle, faire chauffer un peu d'huile à feu moyen-vif, puis colorer les oignons environ 5 minutes. Ajouter la viande déjà cuite. Poursuivre la cuisson environ 5 minutes, puis saler et poivrer.

2. Ajouter le ketchup ou la sauce chili, la boîte de conserve de soupe et la moutarde, puis réduire à feu doux. Cuire pendant 45 minutes. Réserver et laisser tiédir.

3. Trancher les pains à salade, puis farcir avec la viande cuite.

4. Servir seuls ou accompagnés d'une salade.

Ce lunch peut être congelé.

Hamburger au bacon et aux champignons

1 portion

Ingrédients

- ⅓ de tasse de viande hachée, cuite
- Quelques feuilles de coriandre fraîche, émincées
- 2 ou 3 pincées de cumin moulu
- ½ c. à thé de crème sure
- 1 c. à thé de fromage à la crème
- Un peu de ciboulette, hachée (1 c. à thé environ)
- ¼ à ½ tasse de champignons, émincés et sautés dans le beurre
- 1 pain à hamburger
- 3 tranches de bacon, cuites
- Sel et poivre du moulin

Préparation

1. Préchauffer le barbecue à feu élevé.

2. Dans un bol, mélanger la viande hachée avec la coriandre et le cumin. Saler et poivrer, et façonner en boulette.

3. Dans un autre bol, avec une fourchette, fouetter le fromage à la crème jusqu'à ce qu'il devienne malléable. Ajouter la crème sure et la ciboulette, puis saler et poivrer.

4. Sur le barbecue, cuire la boulette jusqu'à ce qu'elle soit bien grillée et cuite à point. Réchauffer le pain et le bacon à chaleur indirecte.

5. Assembler tous les éléments du hamburger, puis déguster !

   Note : La viande hachée tiendra bien dans le hamburger si vous la déposez directement sur le fromage à la crème : cela fera de votre hamburger un délice !

Macaroni à la viande gratiné à la Clef des Champs

4 portions

Ingrédients

- 2 tasses de viande hachée, cuite
- 2 tasses de macaroni ou d'une autre pâte courte de votre choix
- 1 carotte, coupée en dés
- 1 céleri, coupé en dés
- 1 oignon, coupé en dés
- 2 gousses d'ail, écrasées
- 1 feuille de laurier
- Une branche d'origan frais
- 2 saucisses fraîches, sans la peau
- Une pincée de poivre de Cayenne moulu
- 1 boîte de conserve de 355 ml de soupe aux tomates de votre choix
- ½ tasse du fromage à pâte semi-ferme de votre choix, râpé

J'ai une préférence pour le fromage la Clef des Champs, de la fromagerie Éco-Délices, ou pour le Tomme de Grosse-Île, de la Société Coopérative Agricole de l'Île-aux-Grues.

Préparation

1. Cuire les pâtes selon le mode d'emploi, puis réserver.

2. Dans une grande poêle ou un grand chaudron, faire fondre le beurre à feu doux, puis cuire les légumes jusqu'à ce que les oignons soient transparents. Ajouter les herbes et les aromates, puis la chair des saucisses.

3. Cuire à feu moyen jusqu'à ce que la chair de saucisse soit cuite, soit pendant environ 10 minutes. Ajouter la viande hachée et la sauce tomate. Cuire à feu doux pendant 30 minutes.

4. Pendant ce temps, préchauffer le four à la fonction gril (*broil*).

5. Avec une cuillère de bois, mélanger les macaroni cuits dans la casserole de sauce, puis verser dans un plat allant au four. Parsemer de fromage râpé.

6. Gratiner le macaroni au four à votre goût.

7. Servir chaud.

———— ❄ ❄ ❄ ————
Ce lunch peut être congelé.

NOTES

x2 **x2**

Roulades de veau aux tomates séchées sur lit d'épinards

Ingrédients

4 **escalopes de veau de lait** d'environ 100 g chacune

Quelques **tomates séchées**, hachées

150 g de **jeunes pousses d'épinard**

4 tranches de **fromage aromatisé à la fleur d'ail**

1 tasse de **vin blanc**

1 tasse de **crème 35 %**

Un peu de **beurre**

Sel et **poivre** du moulin

 Prévoir environ 100 g de viande pour chaque lunch supplémentaire.

J'ai une préférence pour le fromage Fleur Saint-Michel, de la Fromagerie du Terroir de Bellechasse.

Préparation

1. Saler et poivrer les escalopes de veau.

2. Déposer les escalopes sur un plan de travail et garnir avec les tomates séchées, la moitié des jeunes épinards, puis le fromage. Rouler les escalopes en cigares.

3. Dans une poêle, faire fondre le beurre à feu moyen, puis déposer les escalopes roulées. Colorer jusqu'à ce que le fromage fonde légèrement, soit environ 7 minutes. Réserver les escalopes et jeter le jus de cuisson.

4. Déglacer la poêle au vin blanc et bien racler le fond avec une cuillère de bois pour décoller les sucs de cuisson. Réduire jusqu'à ce qu'il ne reste presque plus d'alcool, puis ajouter la crème.

5. Dans une autre poêle, faire fondre une noix de beurre à feu moyen, puis ajouter ce qui reste de jeunes épinards. Poursuivre la cuisson jusqu'à ce qu'ils soient cuits, soit environ 4 à 5 minutes. Réserver.

6. Réchauffer les escalopes dans la sauce et servir sur le lit d'épinards cuits, avec une salade ou du riz basmati aux légumes.

Note : Si vous utilisez le fromage Fleur Saint-Michel, il ne coulera pas : il est idéal pour les recettes poêlées, car il permet de déglacer les sucs de la viande pour en faire une délicieuse sauce !

❄ ❄ ❄

Préparation pour le lunch : hacher les escalopes et réserver au froid. Réserver les épinards au froid.

NOTES

Ravioli style won ton sur lit d'épinards

2 portions

Ingrédients

100 g d'escalopes de veau cuites, hachées au couteau

2 échalotes, coupées en petits dés

1 gousse d'ail, hachée

2 c. à soupe de jus d'orange

2 c. à soupe de persil, haché

100 g d'épinards cuits, hachés

12 feuilles de won ton (disponibles dans la section surgelée)

1 œuf, battu

½ tasse de jeunes épinards non cuits

Le zeste d'un demi-citron

Un peu de farine

Un peu de beurre

Sel et poivre du moulin

Préparation

1. Dans une poêle, faire fondre le beurre à feu doux, puis cuire l'échalote et l'ail pendant 5 minutes. Ajouter le jus d'orange, puis laisser réduire de moitié.

2. Ajouter le persil, la viande et les épinards. Touiller avec une cuillère de bois pour mélanger, puis laisser refroidir la farce.

3. Pendant ce temps, sur une surface préalablement farinée, déposer les feuilles de won ton.

4. Avec une cuillère, faire des boules de farce environ de la taille d'une petite balle de ping pong, puis les déposer au centre de la pâte won ton.

5. Avec un pinceau, badigeonner la pâte de jaune d'œuf (tout autour de la boule de farce), puis ajouter une autre feuille de won ton par-dessus pour créer un ravioli carré.

6. Appuyer fermement sur les contours de la pâte avec les doigts pour bien refermer le ravioli. Répéter les opérations précédentes pour chaque ravioli.

7. Chauffer de l'eau dans une casserole jusqu'à ce qu'elle soit frémissante. Plonger les raviolis dans l'eau et cuire pendant environ 7 minutes.

8. Dans la poêle ayant servi à cuire la farce, faire fondre un peu de beurre à feu doux, puis faire tomber les épinards avec le zeste du citron. Saler et poivrer.

9. Déposer les raviolis sur les épinards cuits et accompagner d'une sauce aux arachides. Servir le tout avec des légumes cuits à la vapeur, du riz au jasmin ou des nouilles frites.

Note : En guise de variante, vous pouvez faire d'autres formes de ravioli en coupant la pâte ou en la pliant de différentes façons.

❄ ❄ ❄

Ce lunch peut être congelé.

NOTES

 Cannelloni
sans pâte

2 portions

Ingrédients

½ tasse de farce de ravioli

1 petite aubergine, coupée en fines tranches dans le sens de la longueur

1 boîte de conserve de sauce tomate

¼ de tasse de parmesan, râpé

Un peu d'huile d'olive

Sel et poivre du moulin

Préparation

1. Préchauffer le four à 400 °F.

2. Dans une grande poêle, faire chauffer l'huile à feu moyen, puis cuire les aubergines environ 2 minutes de chaque côté. Réserver.

3. Avec une cuillère, déposer de la farce de veau sur l'une des faces des aubergines cuites, puis rouler en cigare. Répéter pour toutes les tranches d'aubergine.

4. Dans un plan allant au four, déposer les aubergines roulées et verser de la sauce tomate autour d'elles. Saupoudrer le parmesan sur les cannelloni d'aubergines.

5. Enfourner et cuire jusqu'à ce que la farce soit chaude, soit environ 15 minutes.

NOTES

Tataki de mignon de veau

Ingrédients

500 g de **filet mignon** de veau

½ **mangue**, coupée en petits dés

1 **tomate** épépinée, coupée en petits dés

1 **miniconcombre**, coupé en petits dés

1 **échalote française**, hachée

Un peu de **persil**, haché (ou de ciboulette)

Un filet d'**huile de noix**

Un peu d'**huile**

Sel et **poivre** du moulin

➕ Prévoir 4-5 tranches de veau pour chaque lunch supplémentaire (environ 100 g).

Préparation

1. Dans un bol, mélanger la mangue, la tomate, le concombre, l'échalote et le persil haché. Saler et poivrer, puis ajouter un peu d'huile de noix. Réserver.

2. Saler et poivrer le filet mignon de veau.

3. Dans une poêle préchauffée à feu moyen-vif, colorer le filet dans un peu d'huile (ou un mélange de beurre et d'huile) environ 5 minutes, jusqu'à ce qu'il soit doré de chaque côté.

4. Trancher finement le filet et servir immédiatement sur une assiette gardée au réfrigérateur. Garnir avec la salsa de mangue.

5. Ce plat serait excellent avec un gratin de chou-fleur et de courge Butternut, par exemple, ou plus classiquement avec une salade de légumes croquants.

Note : La viande de mignon de veau est délicate en saveur et vous devez la choisir avec soin. Assurez-vous auprès de votre boucher que votre mignon soit frais. Il peut aussi s'agir d'une pièce congelée, mais elle doit avoir été congelée alors qu'elle était très fraîche et vous devez la décongeler au réfrigérateur et non dans l'eau ou à la température de la pièce.

❄ ❄ ❄

Préparation pour le lunch : réserver les fines tranches de veau au froid.

Pumpernickel grillé au tataki de veau

1 portion

Ingrédients

4-5 tranches de tataki de veau

2 tranches de pain pumpernickel

1 tranche du fromage à pâte semi-ferme de votre choix

Un peu de beurre

J'ai une préférence pour le fromage 1608 de la Laiterie Charlevoix.

Préparation

1. Déposer les tranches de pain à plat sur un plan de travail et en beurrer l'extérieur. Ajouter une tranche de 1608 et ensuite le mignon de veau.

2. Refermer le sandwich et griller au grille-panini.

3. Si vous n'avez pas de grille-panini, vous pouvez griller le sandwich dans une poêle et finir la cuisson au four.

×4 **×2**

Blanquette de veau en cubes

Ingrédients

1,3 kg de **cubes de veau**, coupés en deux

1 **carotte**, tranchée

1 **oignon**, haché finement

1 branche de **céleri**, hachée finement

1 **clou de girofle**

1 feuille de **laurier**

1 branche de **thym**, effeuillée

1 gousse d'**ail**, hachée

Bouillon de poulet en quantité suffisante

½ paquet de 224 g de **champignons de Paris**, coupés en quartiers

½ paquet de 284 g d'**oignons perlés** (oignons à marinade), épluchés

2 c. à soupe de **vin blanc**

1 c. à soupe de **farine**

1 c. à soupe de **beurre**

½ tasse de **crème 35 %**

1 jaune d'**œuf**

Sel et **poivre** du moulin

Un peu de **beurre**

 Prévoir environ 100 g de cubes de veau pour chaque lunch supplémentaire.

Préparation

1. Porter un grand chaudron d'eau à ébullition, puis faire bouillir la viande pendant 5 minutes. Égoutter la viande et réserver.

2. Dans une casserole, faire fondre un peu de beurre à feu doux, puis cuire les carottes, l'oignon, le céleri, le clou de girofle, la feuille de laurier et le thym. Cuire pendant 5 minutes, puis ajouter l'ail et poursuivre la cuisson 1 minute. Saler et poivrer.

3. Ajouter les cubes de veau au mélange de viande et bien mélanger. Couvrir de bouillon de poulet à hauteur.

4. Laisser mijoter le tout à couvert à feu doux pendant environ 2 heures. Vous pouvez ajouter de l'eau pour combler l'évaporation du bouillon.

5. À 20 minutes de la fin de la cuisson, dans une casserole, faire fondre un peu de beurre à feu moyen, puis colorer les oignons perlés pendant environ 10 minutes. Ajouter 1 c. à soupe d'eau et continuer de cuire les oignons en remuant, jusqu'à ce que l'eau se soit évaporée. Ajouter les champignons et les colorer pendant environ 5 minutes. Déglacer avec le vin blanc jusqu'à ce que la poêle soit presque sèche, soit environ 10 à 15 minutes. Réserver.

6. Dans la même poêle, faire fondre le beurre à feu doux, puis ajouter de la farine. Mélanger les deux pour former un roux et cuire pendant environ 1 minute. Ajouter la crème et attendre qu'elle épaississe en mélangeant constamment avec une cuillère de bois environ 10 minutes.

7. Filtrer les jus de cuisson de la blanquette et retirer le thym et le clou. Réserver la viande et les légumes.

8. Mélanger la crème aux jus de cuisson et ajouter le jaune d'œuf hors du feu. Bien mélanger.

9. Ajouter les champignons, l'oignon et la viande dans la sauce.

10. Servir avec du riz blanc et un quartier de citron à presser.

Préparation pour le lunch : réserver la blanquette telle quelle au froid.

Parmentier de veau

2 portions

Ingrédients

1 tasse de blanquette de veau

2 blancs de poireau, émincés

2 oignons verts, émincés

1 tasse de purée de pommes de terre

Sel et poivre du moulin

Un peu de beurre

Préparation

1. Préchauffer le four à 350 °F.

2. Dans une poêle, faire fondre le beurre, puis cuire le poireau et les oignons verts pendant 5 minutes à feu doux. Saler et poivrer.

3. Dans un plat allant au four, déposer la viande de blanquette et recouvrir avec la fondue de poireau. Garnir avec la purée.

4. Enfourner et cuire jusqu'à ce que le Parmentier soit chaud, soit pendant environ 15 minutes.

❄ ❄ ❄

Ce lunch peut être congelé.

NOTES

_____

_____

_____

_____

_____

_____

_____

_____

Tarte au veau et aux légumes

4 portions

Ingrédients

3 tasses de blanquette de veau

1 croûte de tarte du commerce

¼ de tasse d'asperges cuites, coupées grossièrement

¼ de tasse de brocoli cuit, coupé grossièrement

¼ de tasse de cubes de fromage à pâte semi-ferme et à croûte lavée

¼ de tasse de cubes de patates douces, cuits

1 tomate, coupée en rondelles

J'ai une préférence pour le fromage Le Fou du Roy, des Fromagiers de la Table Ronde.

Préparation

1. Préchauffer le four selon les indications inscrites sur l'emballage de la croûte à tarte.

2. Dans la croûte, déposer les légumes, les cubes de fromage, les patates et les rondelles de tomate. Ajouter la blanquette froide et touiller pour répartir les ingrédients.

3. Enfourner et cuire jusqu'à ce que la pâte soit cuite, conformément aux indications du fabricant.

4. Servir accompagné d'une salade de votre choix.

❄ ❄ ❄

Ce lunch peut être congelé.

Pain de viande aux abricots

Voir la photo à la page 115.

Ingrédients

Quelques **abricots séchés** (5-6)

2 tranches de **pain croûté** d'une miche ou d'une baguette

1 tasse de **crème 35 %**

4 **échalotes françaises**, hachées

2 **tomates**

1 gousse d'**ail**, hachée

600 g de **viande hachée**

Les feuilles d'une branche de **thym**

Une pincée de **muscade**

Une pincée de **moutarde moulue**

4 tranches de **bacon**, crues et coupées en morceaux

3 **œufs**

Sel et **poivre** du moulin

Un peu de **beurre**

+ Prévoir 125 g de viande hachée pour chaque lunch supplémentaire.

Préparation

1. Préchauffer le four à 300 °F.

2. À l'aide d'un couteau, hacher grossièrement les abricots.

3. Couper le pain en cubes, puis les déposer dans un bol. Ajouter la crème. Saler et poivrer. Réserver le temps que le pain s'imbibe.

4. Dans une poêle, faire fondre un peu de beurre à feu moyen. Cuire les échalotes, les abricots et les tomates. Ajouter l'ail et faire revenir 1 minute de plus.

5. Dans un grand bol, mélanger la viande, le mélange de légumes, les herbes, les aromates, le bacon cru et les œufs. Saler et poivrer, puis déposer le tout dans un moule à pain beurré.

6. Déposer le moule à pain dans un plat plus grand allant au four. Ajouter de l'eau à mi-hauteur du plat pour créer un bain-marie.

7. Enfourner et cuire 3 heures.

8. Ce plat s'accompagne très bien d'une sauce de tomates concassées. (Voir la recette à la page 170).

Note : Vous pouvez remplacer le bœuf par un mélange de sanglier et de veau. Vous pouvez aussi remplacer la viande de sanglier, qui est excellente, par une autre viande hachée de votre choix (bison, cheval, etc.).

❄ ❄ ❄

Préparation pour le lunch : couper le pain de viande en tranches.

 Lasagne

4 portions

Ingrédients

1 tasse de pain de viande, émietté

1 ½ tasse de sauce tomate maison ou de sauce tomate en conserve

1 courgette, tranchée finement dans le sens de la longueur

½ aubergine, tranchée finement dans le sens de la longueur

10-15 pâtes à lasagne, cuites selon les indications du fabricant

½ tasse d'épinards, équeutés

Quelques feuilles de basilic fraîches, émincées

½ tasse de parmesan râpé

1 tasse du fromage de votre choix (mozzarella, parmesan, etc.), râpé

Un peu de beurre

Sel et poivre du moulin

Préparation

1. Préchauffer le four à 350 °F.

2. Mélanger la sauce tomate et la viande. Réserver.

3. Dans une poêle préchauffée à feu moyen-vif, faire fondre un peu de beurre et cuire les courgettes 2 minutes de chaque côté. Saler et poivrer. Réserver.

4. Dans la même poêle (rajouter un peu de beurre au besoin), cuire les tranches d'aubergine environ 3 minutes de chaque côté.

5. Dans un plat à lasagne, verser un peu de sauce et couvrir ensuite d'un étage de pâte. Entre chaque étage de pâte, ajouter des jeunes pousses d'épinard, des tranches de courgette et des tranches d'aubergine. Ajouter le parmesan et les feuilles de basilic à l'étage du milieu. Vous pourriez aussi incorporer un peu de ricotta à cette étape.

6. Garnir le dernier étage de pâte de sauce tomate et parsemer du fromage râpé de votre choix.

7. Cuire au four environ 45 minutes ou jusqu'à ce que la lasagne soit chaude et le fromage doré.

—— ❄ ❄ ❄ ——
Ce lunch peut être congelé.

NOTES

_____

_____

_____

_____

_____

_____

_____

_____

_____

_____

_____

_____

Voir la photo à la page 132.

Quésadilla

1 portion

Ingrédients

½ tasse de pain de viande, émietté
1 oignon, grossièrement émincé
2 tortillas de blé
½ tasse de cheddar
Quelques tomates séchées
Un peu de beurre

J'ai une préférence pour le Cheddar vieilli Île-aux-Grues de la Société Coopérative Agricole de l'Île-aux-Grues.

Préparation

1. Dans une poêle chauffée à feu moyen, faire fondre un peu de beurre et cuire l'oignon jusqu'à ce qu'il soit complètement caramélisé, soit environ 20 à 30 minutes.

2. Déposer une tortilla à plat sur un plan de travail et garnir avec l'oignon caramélisé. Ajouter le fromage, les tomates séchées et le pain de viande émietté, puis refermer avec l'autre tortilla.

3. Dans une poêle allant au four préchauffée à feu moyen-vif, faire fondre un peu de beurre et faire cuire la quésadilla environ 5 minutes d'un côté. Lorsque le fromage est fondu, retourner soigneusement (pour éviter de perdre des morceaux en cours de route) et griller l'autre côté.

4. La quésadilla est excellente servie avec une salade jardinière.

Voir la photo à la page 116.

Chili maison et enchiladas

4 portions

Ingrédients

2 tasses de pain de viande, émietté

1 poivron rouge, coupé en dés

1 poivron vert, coupé en dés

1 branche de céleri, coupée en dés

2 oignons rouges, coupés en dés

4 tomates, coupées en dés

2 gousses d'ail, hachées

1 c. à soupe de mélange d'épices Tex-Mex (voir la recette à la page 170)

2 tasses de haricots rouges cuits (prenez soin de bien rincer et égoutter si vous utilisez des boîtes de conserve)

1 boîte de conserve de tomates concassées de 398 ml

½ tasse de bouillon de bœuf

4 tortillas

½ tasse de salsa

¼ de tasse de cheddar

Un peu d'huile

Sel et poivre du moulin

Préparation

1. Dans un grand chaudron préchauffé à feu moyen-vif, verser un peu d'huile et cuire les légumes avec l'ail jusqu'à ce que l'oignon soit transparent. Ajouter la viande, puis poursuivre la cuisson environ 5 minutes. Incorporer les épices Tex-Mex et touiller pour mélanger.

2. Ajouter les haricots rouges cuits, les tomates en conserve et le bouillon de bœuf. Saler et poivrer, baisser le feu, puis laisser frémir le chili environ 1 heure.

3. Préchauffer le four à 400 °F.

4. Farcir les tortillas avec le chili maison et la salsa, puis les mettre dans un plat allant au four. Garnir de fromage, puis enfourner. Cuire jusqu'à ce que le fromage soit fondu et doré.

5. Servir avec une salade de votre choix.

Note : Le saviez-vous ? Le fait de tremper les haricots secs avant leur cuisson et de les rincer de leur eau de cuisson après celle-ci diminue les effets indésirables qu'ils causent durant la digestion. Sinon, vous pouvez utiliser des haricots en conserve et les rincer à l'eau froide pour la même raison.

❄ ❄ ❄

Ce lunch peut être congelé.

NOTES

Bœuf stroganov

Voir la photo à la page 117.

Ingrédients

750 g de **bœuf**, en cubes

2 **oignons**, hachés

227 g de **champignon de Paris**

2 c. à soupe de **vodka**

1 c. à soupe de **farine**

1 c. à soupe de **beurre**

1 tasse de **bouillon de bœuf**

3 c. à soupe de **crème 35 %**

¼ de tasse de **yogourt grec** nature
(ou yogourt nature épais)

¼ de tasse de **crème sure**

Une peu de **ciboulette**, hachée

Sel et **poivre** du moulin

Un peu de **beurre**

➕ Prévoir 1 tasse de champignons de Paris
pour chaque lunch supplémentaire.

Préparation

1. Dans une cocotte préchauffée à feu moyen-vif, faire fondre un peu de beurre et colorer la viande de chaque côté jusqu'à ce qu'elle soit bien dorée, soit environ 5 minutes. Saler et poivrer. Réserver la viande.

2. Dans la cocotte, toujours à feu élevé, faire fondre un peu de beurre et faire sauter les oignons et les champignons jusqu'à ce que ceux-ci soient bien dorés. Déglacer avec la vodka et racler le fond de la casserole avec une cuillère de bois pour décoller les sucs de cuisson. Laisser réduire presque à sec, soit environ 10 minutes de cuisson.

3. Ajouter la farine et le beurre, et cuire à feu doux environ 1 minute pour former un roux. Remettre la viande dans la cocotte. Ajouter le bouillon de bœuf et couvrir. Cuire à feu doux à couvert environ 2 heures.

4. Retirer le couvercle et poursuivre la cuisson pour encore 45 minutes. Ajouter la crème, puis la crème sure et le yogourt. Mélanger. Saler et poivrer.

5. Servir dans un bol avec des nouilles aux œufs et garnir avec la ciboulette hachée.

Préparation pour le lunch : vous pouvez émincer les champignons ou les couper en quartiers.

 # Salade de champignons crémeuse

 1 portion

Ingrédients

1 tasse de champignons, cuits
1 c. à thé de moutarde de Dijon
2 c. à thé de yogourt nature
1 c. à soupe de crème
4 c. à soupe d'huile d'olive
1 oignon vert, ciselé
2 tranches de bacon, cuites et émiettées
Sel et poivre du moulin

Préparation

1. Dans un petit bol, mélanger la moutarde de Dijon, le yogourt et la crème. Saler et poivrer, puis ajouter l'huile d'olive en filet en fouettant.

2. Dans un saladier, mélanger l'oignon vert et les champignons. Arroser de la vinaigrette et touiller pour enrober.

3. Servir dans de grands bols et garnir de miettes de bacon.

Rôti de palette

Ingrédients

1 **rôti de palette** de bœuf d'environ 750 g

2 c. à soupe de **moutarde de Dijon**

3 **oignons**, grossièrement hachés

3 gousses d'**ail**, écrasées

1 branche de **romarin**, effeuillée

2 **carottes**, grossièrement hachées

1 **céleri**, grossièrement haché

¼ de tasse de **rutabaga**, coupé grossièrement

¼ de **chou vert**, coupé en gros morceaux

3 tasses de **bouillon de bœuf**

½ tasse de **bière noire**

2 **pommes de terre**, coupées en gros cubes

Un peu de **beurre**

Sel et **poivre** du moulin

 Prévoir environ 150 g de rôti de palette pour chaque lunch supplémentaire.

J'ai une préférence pour La Corriveau, de la microbrasserie Le Bilboquet, ou la Trois Pistoles, de Unibroue.

Préparation

1. Préchauffer le four à 275 °F.

2. Dans une poêle préchauffée à feu moyen-vif, colorer la viande dans un peu de beurre jusqu'à ce qu'elle soit bien brune, soit environ 10 minutes de chaque côté. Cette étape est très importante. Il faut bien colorer la viande : c'est ce qui donnera du goût au bouillon. Saler et poivrer, puis réserver la viande dans un plat allant au four. Badigeonner la moutarde de Dijon sur la viande.

3. Dans la même poêle (rajouter un peu de beurre au besoin), colorer les oignons, l'ail et le romarin jusqu'à ce que l'oignon soit translucide, puis les ajouter autour de la viande dans le plat de cuisson.

4. Toujours dans la même poêle, faire revenir les carottes, le céleri, le rutabaga et le chou. Réserver.

5. Déglacer la poêle avec la bière et racler le fond avec une cuillère de bois pour bien décoller les sucs de cuisson. Baisser le feu et laisser réduire le liquide de moitié. Verser dans le plat de cuisson. Couvrir à hauteur avec le bouillon.

6. Enfourner et cuire environ 2 heures à couvert.

7. Après 2 heures de cuisson, ajouter les légumes sautés au beurre et les pommes de terre crues. Ajuster le niveau du liquide avec de l'eau si le bouillon ne recouvre plus les aliments.Cuire encore pour 1 h 30.

8. Sortir du four et réserver les légumes, puis la viande.

9. Passer le jus de cuisson au tamis et le verser dans une petite casserole. Chauffer à feu moyen-vif et le faire réduire environ 10 minutes, jusqu'à consistance désirée.

10. Servir la viande grossièrement effilochée avec les légumes et les pommes de terre, et arroser des jus de cuisson réduits.

Note : Si vous n'aimez pas le goût des bières trop fortes, vous pouvez toujours troquer la bière noire pour une blonde ou une rousse, plus douces. La bière La Corriveau est disponible dans la plupart des dépanneurs et épiceries offrant une vaste sélection de bières microbrassées. La Trois Pistoles est disponible partout.

Préparation pour le lunch : effilocher la viande et réserver au froid. Conserver le jus de cuisson au froid.

Nouilles aux œufs, bœuf effiloché et tagliatelle de légumes oubliés

Ingrédients

2 portions

1 tasse de rôti de palette, effiloché
1 panais
1 carotte
1 rutabaga
1 c. à thé de beurre
1 c. à thé de farine
½ tasse de jus de cuisson
2 tasses de nouilles aux œufs (choisir les plus larges)
1 c. à soupe de ciboulette, ciselée
Un peu de beurre

Préparation

1. À l'aide d'une mandoline, trancher finement le panais, la carotte et le rutabaga. Tailler les tranches pour former des tagliatelle de légumes de la même largeur que les nouilles aux œufs.

2. Dans une poêle préchauffée à feu doux, faire fondre le beurre et ajouter la farine. Cuire 1 minute pour former un roux, puis ajouter le jus de cuisson du rôti de palette. Remuer jusqu'à épaississement. Ajouter la viande effilochée et touiller pour la réchauffer.

3. Pendant ce temps, porter une grande casserole d'eau salée à ébullition et cuire les légumes *al dente*, soit environ 4 à 5 minutes. Cuire ensuite les pâtes selon les indications du fabricant.

4. Dans une poêle chauffée à feu moyen-vif, faire fondre un peu de beurre et sauter les légumes 1 minute, puis ajouter les pâtes. Sauter encore 3 minutes.

5. Servir les pâtes dans un bol ou une assiette creuse réchauffée quelques secondes au micro-ondes. Garnir avec la viande et la sauce, et ajouter la ciboulette hachée.

Note : Si vous voulez, vous pouvez vous amuser à placer les pâtes d'une jolie manière. Voici deux suggestions :

1. **Enrouler les pâtes tout autour d'une longue fourchette (à rôti ou à barbecue, par exemple) et déposer le tout à plat dans une assiette. Retirer la fourchette : cela vous donnera un long rouleau de pâtes.**

2. **Sinon, à l'aide d'une pince, saisisser une bonne quantité de pâtes et les déposer dans un bol en tournant lentement le manche de la pince pour former une sorte de spirale. Cela donnera du volume aux pâtes. Vous pourrez ensuite garnir vos pâtes avec la sauce et la ciboulette.**

❄❄❄

Ce lunch peut être congelé.

NOTES

Côte de bœuf au bleu

Ingrédients

2 **côtes de bœuf** de 350 g à 400 g

2 c. à soupe de **bleu**, coupé en bâtonnets correspondant à l'épaisseur de votre steak

2 c. à soupe de **chorizo**, coupé en bâtonnets correspondant à l'épaisseur de votre steak

1 **échalote française**, émincée

1 boîte de conserve d'**escargots** de 125 ml, rincés et égouttés

2 c. à soupe de **crème à cuisson 35 %**

2 c. à soupe de **bouillon de bœuf**

Un peu d'**huile**

Un peu de **beurre**

Sel et **poivre** du moulin

 Prévoir 10 escargots pour chaque lunch supplémentaire.

> *J'ai une préférence pour le fromage Le Rassembleu des Fromagiers de la Table Ronde.*

Préparation

1. Préchauffer le four à 375 °F.

2. Avec la pointe d'un couteau bien aiguisé, faire des incisions dans la viande et y insérer les cubes de fromage et le chorizo.

3. Dans une poêle allant au four préchauffée à feu moyen-vif, verser un peu d'huile (ou un mélange d'huile et de beurre) et colorer la viande de chaque côté jusqu'à ce qu'elle soit bien dorée.

4. Enfourner et cuire jusqu'à ce que la température interne du bœuf atteigne 63 °C pour un steak saignant. Ne pas dépasser 70 °C. Retirer la viande du four, recouvrir de papier d'aluminium et réserver pour que les jus de cuisson se répartissent également à l'intérieur des fibres de la viande.

5. Dans une poêle préchauffée à feu moyen-vif, faire fondre un peu de beurre et sauter les échalotes et les escargots. Saler et poivrer. Ajouter le bouillon de bœuf et laisser réduire, puis ajouter la crème. Laisser réduire à nouveau jusqu'à ce que la sauce soit crémeuse.

6. Dresser la côte de bœuf réservée dans une assiette de service et garnir des escargots en sauce.

7. Servir avec une pomme de terre au four garnie de crème sure et de ciboulette, et accompagner d'une salade.

❄ ❄ ❄

Préparation pour le lunch : émincer la côte de bœuf et réserver au froid. Conserver les escargots à la crème au froid.

NOTES

Voir la photo à la page 118.

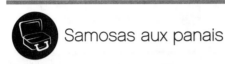

Samosas aux panais

2 portions

Ingrédients

½ tasse de côte de bœuf

1 panais

1 courgette

1 carotte

1 poivron rouge

1 pâte brick (disponible dans les produits congelés de l'épicerie)

Le zeste d'un citron

Un peu de beurre

Sel et poivre du moulin

Préparation

1. À l'aide d'une mandoline, trancher le panais, la courgette, la carotte et le poivron en fines juliennes.

2. Dans une poêle préchauffée à feu doux, faire fondre un peu de beurre et sauter les légumes environ 5 minutes. Saler et poivrer, puis incorporer les restants de côte de bœuf tranchés en petites lanières.

3. Étaler la pâte brick sur un plan de travail et badigeonner sa surface de beurre fondu. Découper en quatre bandes de largeur égale.

4. Déposer le mélange de viande et de légumes à la cuillère sur un coin de la pâte. Replier le coin pour former un triangle et enrouler le reste de la pâte en alternant pour recouvrir toutes les ouvertures du triangle. Réserver.

5. Dans une poêle préchauffée à feu doux, faire fondre un peu de beurre et cuire les samosas jusqu'à ce que la pâte devienne croustillante et dorée, soit environ 5 minutes de chaque côté. Ce plat est excellent servi avec une salade et une sauce à la crème sure et au miel.

Note : Si vous ne trouvez pas de pâte brick, vous pouvez utiliser de la pâte phyllo.

❄ ❄ ❄

Ce lunch peut être congelé.

Roulade de bœuf dans une feuille de laitue

1 portion

Ingrédients

¼ de tasse de viande de côte de bœuf, émincée

1 c. à thé de crème 35 %

1 c. à soupe de fromage à la crème

2 feuilles de laitue Boston

Un petit cornichon, tranché

Sel et poivre du moulin

Préparation

1. Dans un petit bol, fouetter la crème et le fromage à la crème ensemble jusqu'à l'obtention d'une texture lisse et homogène.

2. Étaler les feuilles de laitue sur un plan de travail et garnir avec les lanières de bœuf. Ajouter le mélange de fromage à la crème, puis saler et poivrer. Ajouter le cornichon tranché.

3. Rouler la feuille de laitue en cigare, puis déguster.

Pâtes et poêlée d'escargots à la crème

1 portion

Ingrédients

10 escargots à la crème

½ c. à thé de pâte de tomate

2 c. à soupe de vin blanc

2-3 c. à soupe de crème 35 %

85 g de linguine sec (l'équivalent d'une pièce de 5 sous), cuits dans l'eau salée

Un peu de beurre

Préparation

1. Dans une poêle préchauffée à feu moyen-vif, faire fondre un peu de beurre et faire revenir la pâte de tomate environ 3 minutes. Ajouter le vin, puis laisser le liquide réduire de moitié.

2. Réduire le feu à moyen. Ajouter les escargots dans la poêle et incorporer la crème. Laisser réduire jusqu'à ce que la sauce soit crémeuse et consistante, soit environ 10 minutes.

3. Ajouter les linguine à la sauce et touiller pour mélanger.

4. **Variante :** Vous pouvez gratiner cette recette avec votre fromage préféré (parmesan, cheddar, chèvre…).

Ce lunch peut être congelé.

Riz teriyaki

2 portions

Ingrédients

6 lanières de côte de bœuf

1 gousse d'ail, hachée

1 poivron rouge, coupé en lanières

Quelques pois mange-tout cuits

1 tasse de bouillon de bœuf

1 c. à soupe de cassonade

2 c. à soupe de sauce soya

1 c. à soupe de fécule de maïs

1 c. à soupe de sauce hoisin

1 c. à soupe de mirin

Riz basmati nature, cuit

Un peu d'huile

Poivre du moulin

Préparation

1. Dans un petit bol, mélanger la sauce soya avec la fécule de maïs.

2. Dans un wok préchauffé à feu moyen-vif, verser un peu d'huile et faire sauter la viande avec l'ail, le poivron et les pois mange-tout environ 10 minutes.

3. Retirer la viande, puis ajouter le bouillon de bœuf, la cassonade, la sauce hoisin et le mirin. Ajouter le mélange de sauce soya et chauffer jusqu'à épaississement, de 3 à 5 minutes.

4. Incorporer le mélange de bœuf et de légumes, et touiller pour mélanger. Saler et poivrer.

5. Servir sur du riz basmati.

Ce lunch peut être congelé.

×1 ×2-3

Bifteck de ronde et patates douces

Ingrédients

1 **bifteck de ronde** de 350 g à 500 g

1 grosse **patate douce**, coupée en gros cubes

1 **oignon**, haché grossièrement

1 gousse d'**ail**, hachée

Une branche de **thym**, effeuillée

1 tranche de **prosciutto**

Un peu de beurre

Un peu d'**huile d'olive**

Sel et **poivre** du moulin

 Prévoir de 75 g à 100 g de viande de plus pour chaque lunch supplémentaire.

Préparation

1. Préchauffer le four à 350 °F.

2. Dans une poêle allant au four préchauffée à feu doux, faire fondre un peu de beurre et faire revenir la patate douce avec l'oignon, l'ail et la branche de thym pendant environ 5 minutes.

3. Couvrir, enfourner et cuire 25 minutes ou jusqu'à ce que les patates douces soient cuites. Retirer du four et piler les patates en ajoutant un peu de beurre fondu. Réserver.

4. Dans une poêle préchauffée à feu moyen-vif, faire fondre un peu de beurre (ou un mélange d'huile et de beurre) et colorer la viande jusqu'à ce qu'elle soit bien dorée, de 5 à 7 minutes de chaque côté. Saler et poivrer.

5. Enfourner et cuire la viande jusqu'à ce qu'elle atteigne 60 °C à coeur. Retirer du four, couvrir de papier d'aluminium et laisser reposer 10 minutes.

6. Pendant ce temps, rouler la tranche de prosciutto sur elle-même pour former une fleur que vous pourrez déposer sur votre steak.

7. Servir le bœuf avec les légumes de votre choix et la purée de patates douces.

❄ ❄ ❄

Préparation pour le lunch : *trancher la viande en fines lanières.*

 # Pizza au prosciutto

2-4 portions

Ingrédients

Quelques lanières de bifteck de ronde

1 pâte à pizza du commerce avec sauce tomate (sinon, acheter une boîte de conserve ou utiliser un restant de sauce tomate et une pâte du commerce)

10 tranches de prosciutto

Quelques tranches d'oignon rouge

Quelques tranches de tomate

Une poignée de mozzarella

Une poignée de feuilles de roquette

Poivre du moulin

Préparation

1. Préchauffer le four selon les indications inscrites sur l'emballage de la pâte à pizza.

2. Déposer la pâte à pizza sur un plan de travail et étaler la sauce tomate sur la pâte. Garnir avec le prosciutto, l'oignon rouge, la tomate et la mozzarella.

3. Cuire au four selon les indications du fabricant.

4. Finaliser en garnissant la pizza cuite avec la roquette, puis poivrer.

Burritos au bœuf

Ingrédients

1 **avocat**

¼ de tasse de **crème sure**

1 boîte de conserve de **haricots rouges**, rincés et égouttés

600 g de **bœuf**, coupé en lanières

1 **oignon**, coupé en dés

1 c. à thé d'**épices Tex-Mex**
(voir la recette à la page 170)

1 **tortilla**

¼ de tasse de **fromage râpé**

Quelques feuilles de **laitue**, émincées

Un peu de **beurre**

Sel et **poivre** du moulin

✚ Prévoir 100 g de bœuf en lanières pour chaque lunch supplémentaire.

Préparation

1. Dans un bol, mettre en purée l'avocat avec la crème sure. Saler et poivrer.

2. Dans une poêle, à feu doux, faire fondre un peu de beurre, puis cuire les haricots environ 5 à 7 minutes. Les mettre en purée à l'aide d'un pilon à pommes de terre ou d'une fourchette.

3. Dans une autre poêle, faire fondre un peu de beurre à feu moyen, puis cuire les lanières de bœuf et l'oignon avec les épices pendant 5 à 7 minutes.

4. Réchauffer la tortilla au micro-ondes 10 secondes, puis déposer la purée de haricots sur la tortilla chaude. Garnir de viande, de fromage râpé et du mélange de crème sure. Terminer avec la laitue.

Préparation pour le lunch : réserver au froid les lanières de bœuf cuites.

Nouilles soba à l'orientale

1 portion

Ingrédients

¼ de tasse de lanières de bœuf, cuites

¼ de tasse de jus d'ananas

1 c. à soupe de sucre

1 c. à soupe de vinaigre de riz

1 c. à thé de fécule de maïs

Le zeste d'une orange

½ tasse de nouilles soba (nouilles japonaises au sarrasin)

¼ de tasse d'ananas frais, en cubes

1 poivron rouge, coupé en lanières

Un peu de gingembre, râpé

1 c. à soupe de sauce tamari

Quelques feuilles de coriandre fraîche, hachées

Un peu d'huile

Préparation

1. Dans une casserole, chauffer le jus d'ananas avec le sucre et le vinaigre de riz.

2. Pendant ce temps, dans un petit bol, délayer la fécule de maïs avec un peu d'eau froide.

3. Ajouter la fécule au jus d'ananas, puis porter à ébullition. Ajouter le zeste d'orange. Réserver.

4. Cuire les nouilles selon les indications du fabricant.

5. Dans une poêle, chauffer un peu d'huile à feu élevé, puis cuire les cubes d'ananas avec le poivron rouge et le gingembre environ 5 minutes. Déglacer avec la sauce tamari. Ajouter les pâtes, puis la sauce. Mélanger.

6. Servir dans un bol avec les feuilles de coriandre au dernier moment.

Note : Si la texture de la sauce n'est pas assez épaisse, rajouter de la fécule de maïs. Si, au contraire, elle est trop épaisse, vous pouvez ajouter du jus d'orange ou d'ananas. Une sauce parfaite devrait enrober les pâtes : elle enrobera donc la cuillère lorsque vous la cuirez. De plus, vous pouvez aussi remplacer la viande par du poulet si vous préférez. Des fruits de mer seraient excellents aussi. Pour cette recette, l'ananas frais est par contre conseillé : si vous voulez utiliser un ananas en conserve, assurez-vous bien qu'il baigne dans son jus plutôt que dans le sirop.

NOTES

Ragoût de bœuf

Ingrédients

900 g de **bœuf à ragoût**, en cubes

1 **carotte**, hachée grossièrement

1 **céleri**, haché grossièrement

1 **oignon**, haché grossièrement

3 gousses d'**ail**, hachées

1 feuille de **laurier**

1 **clou de girofle**

Quelques tiges de **romarin**, hachées

Une pincée de **graines de moutarde**

Une pincée de **graines de coriandre**

1 c. à thé de **pâte de tomate**

¼ de tasse de **bière noire** (de type stout)

2 tasses de **bouillon de bœuf**

Sel et **poivre** du moulin

➕ Prévoir ¼ de tasse de bœuf cuit pour chaque lunch supplémentaire.

Préparation

1. Préchauffer le four à 300 °F.

2. Dans une poêle, à feu élevé, faire chauffer l'huile, puis colorer les cubes de bœuf pendant environ 10 minutes. Saler et poivrer, puis ajouter les légumes, l'ail, les herbes et les épices.

3. Ajouter la pâte de tomate, puis faire cuire jusqu'à ce qu'elle devienne brune, soit pendant environ 5 à 8 minutes. Déglacer avec la bière et bien frotter le fond de la casserole avec une cuillère de bois. Faire réduire l'alcool de moitié et ajouter le bouillon de bœuf. Couvrir.

4. Enfourner et cuire pendant environ 3 heures.

5. Une fois la cuisson terminée, réserver les cubes de bœuf et jeter les légumes. Ajuster l'assaisonnement avec du sel et du poivre, au goût.

6. Servir sur du riz ou avec une pomme de terre préparée selon votre goût, le tout accompagné de légumes sautés ou de chou braisé.

❄ ❄❄ ❄

Préparation pour le lunch : effilocher le bœuf.

NOTES

Baguette à l'effiloché de bœuf et au fromage

1 portion

Ingrédients

¼ de tasse de cubes de bœuf cuits, effilochés

1 pain ciabatta, tranché dans le sens de la longueur

1 tranche du fromage à croûte lavée de votre choix

1 c. à soupe de mayonnaise

1 c. à soupe de crème sure

½ c. à thé de moutarde de Dijon à l'ancienne

1 fine tranche d'oignon rouge

J'ai une préférence pour le fromage Alfred Le Fermier, de la fromagerie La Station.

Préparation

1. Préchauffer le four à la fonction gril (*broil*).

2. Déposer les deux moitiés de pain ciabatta sur un plan de travail et garnir l'une d'elles du fromage. Au four, griller le pain et le fromage de 3 à 4 minutes. Après 2 minutes de cuisson, retirer la moitié du pain qui n'est pas recouverte de fromage, afin d'éviter qu'elle ne soit trop sèche.

3. Dans un bol, mélanger la mayonnaise, la crème sure et la moutarde.

4. Ajouter l'effiloché de bœuf à la sauce et mélanger jusqu'à ce que le tout soit bien crémeux.

5. Sur le pain gratiné, déposer la tranche d'oignon, puis l'effiloché de bœuf.

6. Servir avec une salade de votre choix.

Note : Si vous avez un restant de sauce ou de bouillon de cuisson, vous pouvez l'ajouter à la sauce pour obtenir plus de goût.

NOTES

Porc

Longe de porc aux pommes et aux canneberges

Ingrédients

1 **longe de porc** d'environ 600 g

2 **pommes vertes**, tranchées en quartiers fins

Quelques **canneberges séchées**

Quelques brins de **romarin**

1 **oignon**, haché grossièrement

5 c. à soupe de **sirop d'érable**

1 tasse de **bouillon de poulet**

Un peu de **beurre**

Sel et **poivre** du moulin

➕ Prévoir 180 g de viande pour chaque lunch supplémentaire.

Préparation

1. Préchauffer le four à 350 °F.

2. Avec la pointe d'un couteau bien aiguisé, faire une incision assez profonde sur toute la longueur de la longe. Y loger les quartiers de pomme, les canneberges et les brins de romarin, et refermer. Ficeler au besoin.

3. Préchauffer une cocotte à feu moyen-vif et y faire fondre un peu de beurre. Cuire la longe de porc et l'oignon en même temps dans la cocotte, jusqu'à ce que la viande soit dorée de tous les côtés. L'oignon donnera du goût à votre viande. Laisser la longe entière lors de la cuisson, c'est-à-dire ne pas l'ouvrir en portefeuille. Colorer uniquement l'extérieur. Saler et poivrer au goût.

4. Verser le sirop d'érable sur le porc et le bouillon dans le plat, puis enfourner et cuire de 25 à 30 minutes, ou jusqu'à ce que le porc soit rosé.

5. Servir avec des pâtes et des légumes.

Préparation pour le lunch : couper le porc restant en tranches minces (pour le riz sauté) ou en cubes (pour les crêpes farcies). Réfrigérer.

Riz sauté au porc

1 portion

Ingrédients

¼ de tasse de fines tranches de porc

Quelques pois mange-tout

1 poivron jaune, coupé en dés

1 tomate, coupée en dés

1 oignon rouge, coupé en dés

2 petits bok choy, tranchés en quartiers

Un peu de vin blanc

½ tasse de riz blanc cuit (riz basmati, riz au jasmin ou riz étuvé, selon votre préférence)

Un peu de sauce soya

Un peu d'huile végétale

Préparation

1. Préchauffer un wok à feu moyen-vif et y verser un peu d'huile végétale. Sauter les légumes environ 5 minutes. Déglacer avec le vin blanc et laisser le liquide réduire un peu.

2. Ajouter la viande, le riz et la sauce soya. Mélanger et frire 1 minute ou 2 en remuant.

3. Servir immédiatement.

Note : Pour une recette plus généreuse, si vous avez plusieurs convives, ajoutez des fèves germées. J'ai une préférence pour le riz basmati : il est savoureux et polyvalent.

Voir la photo à la page 79.

Crêpes farcies aux asperges

1 portion

Ingrédients

¼ de tasse de porc, coupé en petits dés

2 crêpes

Quelques asperges, cuites

1 oignon vert, émincé

¼ de tasse de sauce hollandaise, maison ou du commerce (en sachet)

Préparation

1. Préchauffer le four à 350 °F.

2. Déposer les deux crêpes à plat sur une planche à découper. Au milieu de chaque crêpe, placer des asperges cuites, puis ajouter le porc et l'oignon vert.

3. Rouler les crêpes, déposer dans une assiette allant au four, puis enfourner. Cuire 5 minutes ou jusqu'à ce que les crêpes soient chaudes.

4. Régler le four à la fonction gril (*broil*).

5. Pendant que les crêpes réchauffent, préparer la sauce hollandaise maison ou en suivant les indications du fabricant.

6. Verser la sauce hollandaise sur les crêpes, puis renvoyer au four à gril. Griller jusqu'à ce que la sauce se fige et colore légèrement, de 3 à 5 minutes.

7. Servir avec une salade verte.

Note : Vous pouvez aussi servir cette recette gratinée avec du parmesan.

NOTES

Mignon de porc au pesto

Voir la photo à la page 80.

Ingrédients

1 **filet mignon de porc**, d'environ 600 g

2 **oignons**, coupés en dés

3 c. à soupe de **pesto**, maison ou du commerce

½ tasse de **bouillon de poulet**

1 branche de **romarin**

¼ de tasse de **crème 35 %**

Un peu de **beurre**

➕ Prévoir 100 g de porc de plus pour chaque lunch supplémentaire.

Préparation

1. Préchauffer le four à 350 °F.

2. Tailler la viande en médaillons d'environ 6 cm d'épaisseur.

3. Préchauffer une poêle à feu moyen-vif et y verser un peu d'huile. Faire colorer les médaillons de chaque côté pendant 5 minutes, puis saler et poivrer. Réserver dans un plat allant au four.

4. Dans la même poêle, faire revenir l'oignon pendant 5 minutes. Ajouter un peu d'huile au besoin. Verser l'oignon sur les médaillons de porc, puis ajouter le pesto, le romarin et le bouillon de poulet.

5. Enfourner et cuire jusqu'à ce que les médaillons soient rosés, environ 10 minutes.

6. Retirer la viande du plat, couvrir de papier d'aluminium et réserver. Jeter la branche de romarin et conserver l'oignon dans le jus de cuisson.

7. Verser le jus de cuisson dans une petite casserole. Chauffer à feu moyen-vif, ajouter la crème et laisser réduire environ 5 minutes.

8. Servir les médaillons nappés de sauce et accompagnés de riz ou de pommes de terre en purée et de légumes.

❄ ❄❄ ❄

Préparation pour le lunch : couper en cubes les médaillons de porc restants.

Farfalle au porc et au pesto

1 portion

Ingrédients

¼ **de tasse de porc, coupé en cubes**

¾ de tasse de farfalle ou autres pâtes courtes

2 c. à soupe de mayonnaise

1 poivron rouge, coupé en dés

1 branche de céleri, coupée en dés

1 oignon vert, ciselé

1 gros cornichon, haché

Préparation

1. Porter une grande casserole d'eau salée à ébullition et y cuire les farfalle selon les indications du fabricant. Égoutter soigneusement, sans rincer.

2. Mélanger tous les ingrédients. Servir froid.

NOTES

_____

_____

_____

_____

_____

_____

_____

Pizza-naan

Ingrédients

1 portion

⅓ de tasse de porc, coupé en cubes

1 pain naan, nature ou à l'ail

2 c. à soupe de pesto

75 g de feta, coupé en cubes

Quelques tomates cerises, coupées en deux

5-6 olives Kalamata, tranchées

½ oignon rouge, émincé

½ poivron vert, tranché en lanières

2-3 champignons de Paris, émincés

Poivre du moulin

J'ai un faible pour le feta du Troupeau Bénit, la fromagerie du Monastère Vierge Marie la Consolatrice, et pour celui de la ferme Mes Petits Caprices, disponible seulement à la boutique de la ferme, au mont Saint-Hilaire.

Préparation

1. Préchauffer le four à 400 °F.
2. Déposer le pain naan sur une plaque à cuisson. Badigeonner de pesto, puis ajouter tous les autres ingrédients.
3. Enfourner directement sur la grille du milieu et cuire jusqu'à ce que la pizza soit chaude et que le fromage devienne mou, environ 10 minutes.
4. Poivrer et servir.

NOTES

Jambon aux pommes Cortland

Ingrédients

1 **jambon** d'environ 1,8 kg (4 lb), sans os

10 **clous de girofle**

5 tasses de **bouillon de poulet**

1 **oignon**, coupé grossièrement

1 **carotte**, coupée grossièrement

1 feuille de **laurier**

2-3 **baies de genièvre**

Quelques branches de **thym**

Quelques **graines de moutarde**

Quelques **grains de poivre** entiers

3 **pommes Cortland**, épluchées et coupées en quatre quartiers

+ Prévoir 1 tasse de jambon en cubes pour chaque lunch supplémentaire.

Préparation

1. Préchauffer le four à 275 °F.

2. Concasser grossièrement les clous de girofle avec le plat d'un couteau ou à l'aide d'un pilon et d'un mortier. Frotter le jambon avec les clous pour aromatiser la viande, puis retirer l'excédent.

3. Dans une casserole chauffée à feu moyen-vif, faire fondre un peu de beurre. Colorer le jambon de chaque côté jusqu'à ce qu'il soit bien doré.

4. Ajouter le bouillon de poulet, l'oignon, la carotte, la feuille de laurier, les baies de genièvre, le thym, les graines de moutarde et les grains de poivre, puis enfourner. Cuire au moins 4 heures à couvert, ou jusqu'à ce que la chair du jambon s'effiloche à la fourchette.

5. Lorsque le jambon est cuit, le retirer de la casserole et l'emballer de papier d'aluminium pour le garder au chaud. Passer le jus de cuisson au tamis. Réserver.

6. Dans une poêle chauffée à feu moyen-vif, faire fondre un peu de beurre. Sauter les pommes dans le beurre environ 8 minutes, puis déglacer avec le jus de cuisson réservé. Racler le fond de la poêle avec une cuillère de bois pour bien décoller les sucs de cuisson.

7. Réduire la sauce jusqu'à la consistance désirée, c'est-à-dire jusqu'à ce que la sauce soit assez épaisse pour napper le dos d'une cuillère.

8. Servir avec des pommes de terre bouillies.

※ ※ ※

Préparation pour le lunch : couper le jambon en cubes ou en tranches.

 ## Pain sucré-salé au jambon, aux pommes et à l'érable

 1 portion

Ingrédients

1 tasse de jambon aux pommes Cortland, coupé en petits cubes

1 tasse de farine

½ c. à thé de poudre à pâte

¼ de c. à thé de bicarbonate de soude

2 pommes Cortland (ou autres pommes rouges), hachées en petits cubes ou râpées

4 oignons verts, émincés

¼ de tasse de compote de pommes

2 œufs

1 tasse de cheddar, râpé

¼ de tasse de sirop d'érable

Pour la touche finale :

¼ de tasse de sirop d'érable

Magret de canard, fenouil braisé à l'orange (voir la recette à la page 26)

Sloppy Joe décadent, version améliorée (voir la recette à la page 31)

Du souper au lunch

Préparation

1. Préchauffer le four à 375 °F. Beurrer deux moules à pain d'environ 8 x 4 po.

2. Dans un grand bol, mélanger la farine, la poudre à pâte et le bicarbonate de soude ensemble, et réserver.

3. Dans un autre bol, mélanger les pommes, le jambon, les oignons verts, la compote de pommes, les œufs, le fromage et le sirop d'érable. Fouetter énergiquement pour bien mélanger les œufs. Un truc : pour empêcher les pommes de brunir, mélangez-les avec le sirop d'érable dès que vous les coupez.

4. Incorporer les ingrédients secs dans la préparation au jambon, puis diviser dans les deux moules à pain.

5. Enfourner sur la grille du milieu et cuire de 40 à 45 minutes, ou jusqu'à ce qu'un cure-dent inséré au milieu du pain en ressorte propre.

6. Sortir les moules du four et badigeonner la surface des pains avec le ¼ de tasse de sirop d'érable supplémentaire.

7. Renvoyer au four 1 minute, jusqu'à ce que le pain ait l'air glacé. Sortir du four et laisser tiédir avant de démouler.

8. **Variante :** Ce pain se congèle très bien et est excellent pour déjeuner. Vous pouvez éplucher les pommes si vous le désirez. J'ai choisi de ne pas les éplucher pour donner de la couleur au plat.

Note : Si vous avez à votre disposition des flocons d'érable, vous pouvez les utiliser pour remplacer le sirop d'érable lors de la dernière étape de cette recette.

NOTES

_____

_____

_____

_____

_____

_____

_____

Croissant grillé au jambon et au fromage

`1 portion`

Ingrédients

3 minces tranches de jambon aux pommes Cortland
1 croissant
1 tranche de fromage de type cheddar ou gruyère
Poivre du moulin

J'ai une préférence pour le fromage Gruyère de Grotte ou pour le cheddar au lait cru de la Société Coopérative Agricole de l'Île-aux-Grues.

Préparation

1. Préchauffer le four à 350 °F.

2. Trancher le croissant en deux. Garnir la moitié du croissant avec le jambon et la tranche de fromage. Poivrer et enfourner sans refermer le sandwich. Cuire de 5 à 6 minutes, ou jusqu'à ce que le fromage soit fondu et le croissant chaud. Après 3 minutes de cuisson, enfourner le dessus du croissant pour le réchauffer et le griller légèrement.

3. Sortir les deux moitiés de croissant du four et refermer le sandwich. Servir immédiatement avec une salade ou un complément de déjeuner : fruits, pommes de terre, etc. Pour un repas plus complet, vous pouvez aussi ajouter un œuf au plat.

NOTES

_____

_____

_____

_____

_____

_____

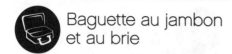

Baguette au jambon et au brie

Ingrédients

1 portion

3 minces tranches de jambon aux pommes Cortland

Un bout de baguette

1 tranche de brie de votre choix

Un peu de beurre

J'ai un faible pour le brie Cayer, de Saputo.

Préparation

1. Badigeonner de beurre les deux faces intérieures de la baguette.

2. Garnir de jambon et de fromage, puis refermer.

3. **Variante :** Pour cette recette, le brie peut être remplacé par du camembert si vous préférez ce dernier.

   Note : Ceci est une recette classique, mais rien n'empêche de la modifier en ajoutant des ingrédients. Quelques cornichons seraient délicieux, 8 à 10 petites câpres, 1 œuf entier, une poignée de roquette ou de jeunes pousses d'épinard... Même quelques tranches de chorizo seraient de délicieuses options.

NOTES

_____

_____

_____

_____

_____

_____

_____

Croque-monsieur aux tomates séchées

Ingrédients

1 portion

2 tranches fines de jambon aux pommes Cortland

1 tranche du pain croûté de votre choix

1 tranche de suisse

Quelques tomates séchées, grossièrement hachées au couteau

Environ la moitié d'un jaune d'œuf (c'est difficile à diviser, mais un jaune entier serait trop. Vous pouvez utiliser l'autre moitié pour faire une portion individuelle de vinaigrette César.)

Une poignée de suisse de votre choix, râpé

Ma préférence va au suisse de la Fromagerie des Basques.

Préparation

1. Préchauffer le four à 350 °F.

2. Badigeonner le pain de beurre et garnir de la tranche de fromage et des tranches de jambon. Parsemer de tomates séchées.

3. Dans un petit bol, battre le jaune d'œuf et le mélanger avec le fromage râpé.

4. Déposer le mélange de fromage sur le jambon et presser avec la main pour en faire une « croûte » de fromage.

5. Enfourner et cuire 10 minutes, ou jusqu'à ce que le fromage soit doré et que le pain soit croustillant.

6. Excellent lorsque servi avec une simple salade de verdure accompagnée d'une vinaigrette légère.

Panini à l'érable, aux oignons et aux poivrons rôtis

1 portion

Ingrédients

1 tranche de jambon aux pommes Cortland d'environ 1 cm d'épaisseur

1 poivron rouge, entier

1 oignon, émincé

4 c. à soupe de sirop d'érable

1 pain ciabatta

Un peu de beurre

Sel et poivre du moulin

Préparation

Poivron rôti sur le barbecue

1. Préchauffer le barbecue à feu élevé.

2. Cuire le poivron rouge entier directement sur la grille jusqu'à ce que la peau soit complètement noircie.

3. Déposer le poivron dans un bol et le recouvrir de pellicule plastique de manière hermétique et laisser reposer une dizaine de minutes.

4. Peler la peau du poivron avec le dos d'un couteau ou avec les mains. Un truc : pour faciliter le pelage, vous pouvez couper le poivron en quatre, puis gratter toute la peau avec le dos d'un couteau. La chair sera plus douce et cette étape concentrera les saveurs du poivron.

Poivron rôti sur la cuisinière

1. Si vous ne pouvez pas utiliser le barbecue, enfourner votre poivron à la fonction gril (*broil*) et le retourner pour bien le noircir de chaque côté. Si vous avez un poêle au gaz, vous pouvez aussi le passer au-dessus de la flamme nue, au moyen d'une pince. Procéder ensuite de la même façon que pour le poivron rôti au barbecue.

1. Lorsque les poivrons sont cuits, préchauffer une poêle à feu moyen-vif et y faire fondre un peu de beurre. Sauter les oignons jusqu'à ce qu'ils soient caramélisés et presque en compote, soit environ 10 à 15 minutes. Vous pouvez verser un peu d'eau dans la poêle quand les oignons commencent à coller : cela vous évitera de les brûler et de devoir recommencer.

2. Saler et poivrer l'oignon, puis déglacer avec le sirop d'érable. Racler le fond de la poêle avec le dos d'une cuillère pour bien décoller les sucs de cuisson, puis poursuivre la cuisson 3 minutes. Réserver dans un bol.

3. Griller le pain sur la grille du barbecue ou dans le four. Réchauffer le jambon dans une poêle à feu moyen avec un peu de beurre. Vous pourriez aussi utiliser le micro-ondes.

4. Assembler le sandwich en garnissant la moitié du pain avec le jambon, l'oignon caramélisé et le poivron rôti. Refermer le sandwich et servir immédiatement.

5. **Variante :** Vous pouvez ajouter de la mayonnaise si vous le désirez.

NOTES

Carré de porc à la moutarde et au sirop d'érable

Ingrédients

- 1 **carré de porc** d'environ 2 kg
- 1 **oignon**, coupé en quatre tranches épaisses
- ¼ de tasse de **bouillon de poulet** ou de légumes
- 6 c. à soupe de **moutarde de Dijon**
- 1 c. à thé de feuilles de **thym** frais
- 10-15 **choux de Bruxelles**
- ½ tasse de **sirop d'érable**
- Un peu de **beurre** et d'**huile**
- **Sel** et **poivre** du moulin

+ Prévoir ½ côte de porc (environ ½ lb) de plus pour chaque lunch supplémentaire.

Préparation

1. Préchauffer le four à 350 °F.

2. Préchauffer une cocotte à feu moyen-vif et y verser un peu d'huile (ou un mélange d'huile et de beurre). Saisir la pièce de viande à feu élevé de chaque côté jusqu'à ce qu'elle soit bien dorée. Saler, poivrer et réserver.

3. Déposer les tranches d'oignon dans la cocotte afin d'en couvrir le fond, puis ajouter le bouillon de poulet. Déposer le carré par-dessus l'oignon de sorte qu'il ne touche pas au fond du plat.

4. Mélanger la moutarde de Dijon avec les feuilles de thym. Badigeonner le carré de porc de ce mélange. Ajouter les choux de Bruxelles entiers dans le plat de cuisson. Verser la moitié du sirop d'érable sur le carré.

5. Enfourner et cuire jusqu'à ce qu'un thermomètre à cuisson inséré au centre de la viande (prenez garde de ne pas toucher un os) indique 70 °C, environ 40 à 50 minutes. Lorsque la viande a atteint la température souhaitée, sortir le carré du four et le badigeonner du reste du sirop d'érable.

6. Remettre la cocotte dans le four et le régler à la fonction gril (*broil*). Cuire environ 5 minutes, ou juqu'à ce que le carré ait une apparence glacée.

7. Sortir le plat du four et couvrir le porc de papier d'aluminium pour le garder au chaud. Laisser reposer de 10 à 15 minutes.

8. Quelques minutes avant de servir, récupérer les jus de cuisson accumulés dans le papier d'aluminium pour arroser la viande lorsqu'elle sera tranchée.

9. **Variante :** Ce plat s'accompagne très bien d'une purée de navet et de pommes de terre ainsi que de panais braisés. Si vous désirez braiser des panais, ajoutez-les en début de cuisson dans le bouillon de poulet avant d'enfourner. Sinon, vous pouvez les cuire à l'eau, puis les sauter au beurre. Ajouter un peu de sirop d'érable (1 c. à thé) 1 minute avant la fin de la cuisson pour caraméliser.

Préparation pour le lunch : *couper la viande restante en cubes.*

Salade de pommes Granny Smith au porc rôti

1 portion

Ingrédients

¼ de tasse de porc, coupé en cubes

3 pommes Granny Smith, en fines tranches

1 oignon vert, émincé

Quelques canneberges séchées

Quelques amandes effilées

Vinaigrette à la lime et à la coriandre fraîche

Préparation

1. Déposer tous les ingrédients dans un saladier et mélanger. Arroser de la vinaigrette à la lime et à la coriandre fraîche, et servir froid.

2. **Variante :** Vous pouvez réchauffer le porc mais, dans ce cas, la salade doit être consommée immédiatement.

Vinaigrette à la lime et à la coriandre fraîche

Ingrédients

1 gousse d'ail, hachée
2 c. à soupe d'huile d'olive
2 c. à soupe de coriandre fraîche, hachée grossièrement
4 c. à soupe de jus de lime, ainsi que son zeste
Une pincée de cumin moulu
Sel et poivre du moulin

Préparation

1. Fouetter tous les ingrédients ensemble. Servir avec la salade.

NOTES

Salade de choux de Bruxelles et de radis

1 portion

Ingrédients

¼ de tasse de rôti de porc, coupé en cubes
10 choux de Bruxelles, débarrassés de leurs premières feuilles (si elles sont flétries)
5-6 radis roses, finement tranchés
Une vingtaine de raisins secs
1 carotte, râpée
2 c. à soupe de yogourt nature
1 c. à soupe d'huile de sésame grillé
Quelques graines de sésame
2 c. à soupe de ciboulette, ciselée
Sel et poivre du moulin

Préparation

1. Effeuiller les choux de Bruxelles dans un saladier. Lorsque le chou devient trop petit, l'émincer. Ajouter les radis, les raisins secs et la carotte râpée.

2. Mélanger le yogourt avec l'huile de sésame grillé et la ciboulette. Saler et poivrer.

3. Incorporer la vinaigrette au mélange de légumes. Servir immédiatement.

NOTES

Ragoût de porc aux légumes et à l'ail rôti

Ingrédients

900 g de **cubes de porc**

1 **carotte**, hachée grossièrement

1 **poireau**, haché grossièrement

1 **oignon**, haché grossièrement

1 **pomme de terre**, hachée grossièrement

1 **céleri**, haché grossièrement

1 tête d'**ail**

2 c. à thé de **farine**

2 c. à thé de **beurre**

2 tasses de **bouillon de bœuf**

1 feuille de **laurier**

Un peu de **beurre**

Un peu d'**huile**

Sel et **poivre** du moulin

✚ Prévoir 120 g de porc de plus pour chaque lunch supplémentaire.

Préparation

1. Préchauffer le four à 300 °F.

2. Mélanger tous les légumes dans un grand bol, à l'exception du céleri. Réserver le céleri à part.

3. Couper la tête d'ail sur le dessus de façon à exposer la chair des gousses. Une tranche de moins de 1 cm fera l'affaire.

4. Envelopper la tête dans du papier d'aluminium avec un peu d'huile, puis enfourner. Vérifier la tête d'ail de temps en temps ; elle sera prête lorsque les gousses seront dorées (au moins 45 minutes). Retirer du four, presser la tête entière pour en faire sortir l'ail rôti et réserver.

5. Dans une poêle préchauffée feu moyen-vif, faire fondre un peu de beurre (ou un mélange d'huile et de beurre) et sauter les cubes de porc pendant environ 5 minutes, jusqu'à ce qu'ils soient bien dorés. Saler et poivrer.

6. Ajouter dans la poêle les 2 c. à thé de beurre et la farine, et bien mélanger. Poursuivre la cuisson 1 minute. Déglacer la poêle avec le bouillon de bœuf. Bien racler le fond de la poêle avec le dos d'une cuillère de bois pour décoller les sucs de cuisson du porc. Cuire jusqu'à épaississement, environ 5 minutes, puis verser dans un plat allant au four. Ajouter la feuille de laurier.

7. Enfourner et cuire environ 1 heure, puis ajouter la carotte, le poireau, la pomme de terre et l'oignon. Poursuivre la cuisson 1 heure, puis ajouter le céleri. Poursuivre la cuisson environ 30 minutes. Sortir du four et incorporer l'ail rôti. Bien mélanger.

8. Servir tel quel dans un bol creux, avec la ciboulette fraîche ciselée ou du persil frais haché.

❄ ❄ ❄

Préparation pour le lunch : couper le porc restant en cubes.

NOTES

Sandwich grillé au porc et au bacon

1 portion

Ingrédients

¼ de tasse de cubes de porc, cuits

2 c. à soupe de moutarde de Dijon

½ c. à soupe de compote de pommes non sucrée

2 tranches de pain pumpernickel (ou du pain croûté de votre choix)

1 tranche de fromage de chèvre à pâte semi-ferme

2 tranches de bacon, cuites

1 tranche de tomate

Un peu de beurre

Poivre du moulin

J'ai une préférence pour la Tomme des Joyeux Fromagers, de la Chèvrerie Fruit d'une passion.

Préparation

1. Mélanger la moutarde de Dijon avec la compote de pommes.

2. Assembler le sandwich en commençant par tartiner l'extérieur des tranches de pain avec le beurre. Badigeonner l'intérieur du pain avec le mélange de moutarde.

3. Ajouter le fromage, le bacon et la tomate, saler et poivrer, puis griller dans un grille-panini. Si vous ne possédez pas cet appareil, vous pouvez réaliser ce sandwich à l'aide d'une poêle en fonte striée. Voir la recette de grilled cheese au cerf à la page 21 pour la marche à suivre.

NOTES

Boulettes de porc à la confiture d'abricots et à la moutarde de Dijon à l'ancienne

Ingrédients

1 ½ à 2 lb de **porc haché**

1 **oignon**, coupé en petits dés

2 gousses d'**ail**, hachées

1 tasse de confiture d'**abricots**

¼ de tasse de **bouillon de poulet**

3 c. à soupe de **moutarde de Dijon à l'ancienne**

Un peu de **beurre**

Sel et **poivre** du moulin

➕ Prévoir 120 g de porc de plus pour chaque lunch supplémentaire.

Préparation

1. Dans une poêle chauffée à feu doux, faire fondre un peu de beurre. Cuire l'oignon avec les gousses d'ail jusqu'à ce que l'oignon soit translucide, environ 5 minutes. Saler et poivrer, puis réserver.

2. Façonner le porc en petites boulettes d'environ 1 ½ po, puis saler et poivrer.

3. Faire fondre un peu de beurre dans une casserole préchauffée à feu moyen-vif. Faire dorer les boulettes environ 10 minutes, puis incorporer l'oignon et l'ail. Réduire le feu et poursuivre la cuisson environ 5 minutes. Ajouter ensuite la confiture d'abricots et le bouillon de poulet. Cuire jusqu'à ce que la sauce ait atteint la consistance désirée, c'est-à-dire jusqu'à ce qu'elle enrobe bien les boulettes (environ 10 minutes à feu doux).

4. Ajouter la moutarde de Dijon, saler et poivrer, et bien mélanger la sauce.

5. Poursuivre la cuisson jusqu'à ce que les boulettes soit parfaitement cuites, soit environ 5 minutes. Ce plat est excellent servi avec des pâtes ou du riz blanc et les légumes de votre choix.

Préparation pour le lunch : réserver les boulettes entières.

 # Sauce bolognaise aux boulettes de viande

4 portions

Ingrédients

1 tasse de boulettes de porc

1 oignon rouge, finement haché

1 gousse d'ail, hachée

1 c. à soupe de cumin

1 boîte de conserve de tomates, en dés ou entières

Quelques feuilles de basilic, taillées en chiffonnade

Un peu d'huile

Sel et poivre du moulin

Préparation

1. Dans une casserole préchauffée à feu moyen, verser un peu d'huile (ou un mélange d'huile et de beurre) et faire revenir l'oignon, l'ail et le cumin environ 5 minutes.

2. Ajouter les boulettes et poursuivre la cuisson à feu moyen-vif un autre 5 minutes.

3. Verser les tomates dans la casserole et parsemer les feuilles de basilic. Baisser le feu et laisser mijoter au moins 1 heure, jusqu'à ce que la sauce soit consistante.

Sous-marin aux boulettes de viande gratiné au parmesan

1 portion

Ingrédients

1 ½ tasse de sauce bolognaise aux boulettes de viande

1 pain à sous-marin, tranché dans le sens de la longueur

Un peu de parmesan râpé

Un peu de beurre

Préparation

1. Préchauffer le four à 350 °F.
2. Beurrer le dessus du pain.
3. Garnir les deux côtés du sous-marin avec la sauce aux boulettes de viande et enfourner. Cuire au moins 10 minutes ou jusqu'à ce que les boulettes soient chaudes.
4. Deux minutes avant la fin de la cuisson, ajouter le parmesan. Cuire jusqu'à ce que le fromage soit fondu et doré. Refermer le sandwich et déguster.

NOTES

Côtes levées aux pêches

Ingrédients

1 rangée de **côtes levées de porc** d'environ 500 g

2 c. à soupe de **vinaigre de framboise** (ou autre vinaigre de votre choix)

1 c. à soupe de **jus de citron**

½ tasse de **confiture de pêches**

2 **pêches**, coupées en petits quartiers

Un peu de **beurre**

Sel et **poivre** du moulin

✚ Prévoir 180 g de côtés levées de plus pour chaque lunch supplémentaire.

Préparation

1. Porter une grande casserole d'eau salée à ébullition et y plonger les côtes levées entières. Cuire environ 1 heure. Égoutter et réserver.

2. Préchauffer le barbecue à feu moyen ou, si vous le désirez, le four à 375 °F.

3. Dans un bol, mélanger le vinaigre, le jus de citron et la confiture de pêches. Saler et poivrer.

4. Faire fondre un peu de beurre dans une grande poêle préchauffée à feu moyen-vif. Sauter les pêches jusqu'à ce qu'elles soient colorées mais encore fermes, soit environ 5 minutes. Saler et poivrer.

5. Badigeonner les côtes levées avec le mélange de confiture. Cuire sur le barbecue à feu élevé, environ 10 minutes de chaque côté, et continuer de badigeonner de sauce durant la cuisson. Ne pas oublier de fermer le couvercle du barbecue lors de la cuisson : ceci permettra à la sauce de figer en raison de la température élevée.

6. Servir avec les pêches sautées dans le beurre. Délicieux lorsque accompagné de brocolis cuits à la vapeur.

❋ ❋ ❋

Préparation pour le lunch : effilocher les côtes levées restantes.

1 portion

Ingrédients

¼ de tasse de côtes levées, désossées et effilochées

Environ 90 g de chips de tortillas nature

½ poivron rouge, taillé en petits dés

1 oignon vert, émincé

½ tasse de mozzarella, râpée

Quelques olives en tranches

½ tasse de salsa, maison ou du commerce

Préparation

1. Préchauffer le four à 375 °F.

2. Déposer les chips dans un plat allant au four. Garnir avec le poivron, la viande et l'oignon vert. Ajouter le fromage et les olives.

3. Enfourner et cuire de 10 à 15 minutes, ou jusqu'à ce que le fromage soit fondu et doré. Surveillez attentivement : les nachos peuvent avoir tendance à brunir rapidement s'ils sont cuits trop longtemps, et cela leur donne un goût amer désagréable.

Kaiser au brocoli

Ingrédients

1 portion

¼ de tasse de côtes levées, désossées et effilochées
1 pain kaiser
3-4 brocolis cuits *al dente*
1 c. à soupe de mayonnaise
2 pincées de sucre
1 c. à thé de moutarde de Dijon
Sel et poivre du moulin

Préparation

1. Trancher le pain kaiser.
2. Couper les brocolis en tranches fines.
3. Mélanger la mayonnaise avec le sucre et la moutarde de Dijon, puis saler et poivrer. Ajouter la viande.
4. Garnir la moitié du pain avec le mélange de viande et de mayonnaise, et parsemer de brocoli. Refermer le sandwich et servir immédiatement.

NOTES

Saucisses et mayonnaise à la Dijon

Ingrédients

2 **saucisses fraîches** de votre choix (tomate et basilic, italienne, cerf, porc, etc.)

¼ de tasse de **mayonnaise**

1 gousse d'**ail**, hachée

3 c. à thé de **moutarde de Dijon**

✚ Prévoir 1 saucisse de plus pour chaque lunch supplémentaire.

Préparation

1. Dans un bol, mélanger la mayonnaise, l'ail et la moutarde. Réserver.

2. Remplir une casserole d'eau et porter à ébullition. Cuire les saucisses dans l'eau de 3 à 6 minutes (3 minutes pour les petites saucisses de la taille d'une merguez et 6 minutes pour les saucisses régulières).

3. Lorsque les saucisses sont fermes, griller dans une poêle en fonte striée chauffée à feu moyen-vif ou sur le barbecue à feu élevé. Cuire les saucisses de 4 à 5 minutes de chaque côté.

4. Servir avec la dijonnaise et accompagner de salade de chou acidulée et de purée de pommes de terre classique.

Préparation pour le lunch : *réserver les saucisses cuites entières.*

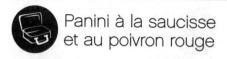

Panini à la saucisse et au poivron rouge

1 portion

Ingrédients

1 saucisse cuite, coupée en tranches (dans le sens de la longueur)

Un pain ciabatta

2 fines tranches d'oignon rouge

½ poivron rouge, émincé en lanières

1 tranche de fromage à raclette affiné à la bière

Un peu d'huile

2 c. à soupe de sauce à la crème sure et aux fruits rouges (voir la recette suivante), de mayonnaise ou de moutarde, au goût

J'ai une préférence pour le fromage à raclette affiné à la Griffon, de la Fromagerie Fritz Kaiser.

Préparation

1. Préchauffer le barbecue à feu doux ou un grille-panini. Vous pouvez aussi griller l'extérieur du sandwich dans une poêle en fonte striée et achever sa cuisson au four.

2. Couper le pain ciabatta en deux et badigeonner l'intérieur avec l'huile d'olive, puis tartiner de votre choix de sauce.

3. Mettre tous les ingrédients dans le ciabatta et refermer. Faire griller sur le barbecue ou dans le grille-panini jusqu'à ce que le fromage soit fondu.

Sauce à la crème sure et aux fruits rouges

Ingrédients

¼ de tasse de crème sure

5 framboises

5 mûres

5 bleuets

Sel et poivre du moulin

Préparation

1. Écraser grossièrement les baies à l'aide d'une fourchette.

2. Ajouter la crème sure, puis saler et poivrer. Mélanger.

NOTES

_____

_____

_____

_____

_____

_____

_____

_____

_____

_____

_____

_____

Salade tiède

1 portion

Ingrédients

1 saucisse cuite, coupée en rondelles

1 oignon, émincé

3 c. à soupe de vinaigre de cidre

3 c. à soupe de jus de pomme

2 c. à soupe d'huile d'olive

Une poignée de fèves germées

1 ¼ tasse de jeunes pousses d'épinard

Un peu de beurre

Préparation

1. Préchauffer une poêle à feu moyen-vif et y verser un peu d'huile. Sauter les oignons jusqu'à coloration, soit environ 5 minutes. Réduire le feu et poursuivre la cuisson 10 minutes à feu moyen. Saler et poivrer.

2. Ajouter les saucisses et poursuivre la cuisson.

3. Verser le vinaigre et le jus de pomme dans la poêle, puis incorporer l'huile. Réserver.

4. Dans un saladier, mélanger les jeunes pousses d'épinard avec les fèves germées et ajouter la vinaigrette chaude au mélange. Bien mélanger. Servir immédiatement.

NOTES

_____

_____

_____

_____

_____

Omelette presque western

1 portion

Ingrédients

1 saucisse cuite, taillée en dés

½ poivron rouge, coupé en dés

¼ d'oignon rouge, coupé en dés

½ tomate, coupée en dés

2 champignons de Paris, tranchés en quartiers

3 œufs battus

2 c. à soupe de crème 35 %

2 gouttes de Tabasco

1 poignée de Manchego râpé (ou de fromage de chèvre à pâte semi-ferme ou ferme, comme Le Chèvre Noir)

Un peu de beurre

Sel et poivre du moulin

Préparation

1. Préchauffer le four à la fonction gril (*broil*).

2. Chauffer à feu moyen-vif une grande poêle allant au four et y faire fondre le beurre. Faire sauter les légumes environ 3 minutes.

3. Ajouter les saucisses et poursuivre la cuisson environ 1 minute.

4. Pendant ce temps, fouetter les œufs avec la crème et le Tabasco, puis saler et poivrer. Verser le mélange d'œufs dans la poêle avec les légumes. Réduire à feu moyen.

5. Cuire environ 4 minutes, puis ajouter le fromage sur une moitié de l'omelette. Plier l'omelette en deux à l'aide d'une spatule.

6. Enfourner et cuire jusqu'à ce que l'omelette soit gonflée et qu'elle colore, de 5 à 8 minutes.

7. Servir avec la sauce Tabasco à côté.

Hot dog allemand

1 portion

Ingrédients

1 saucisse entière, cuite

½ baguette

Un peu de moutarde de Dijon

Un peu de choucroute

Un peu d'huile d'olive

Préparation

1. Préchauffer le barbecue à feu moyen ou une poêle en fonte striée à feu moyen-vif.

2. Griller la saucisse jusqu'à ce qu'elle soit colorée de tous les côtés.

3. Pendant ce temps, trancher le pain dans le sens de la longueur, de manière à l'ouvrir en portefeuille.

4. Badigeonner l'intérieur du pain d'huile d'olive et le griller directement sur la grille du barbecue ou dans la poêle en fonte striée.

5. Tartiner le pain de la moutarde de Dijon, garnir avec la choucroute et ajouter la saucisse. Savourez !

NOTES

_____

_____

_____

_____

_____

_____

_____

Quelques invités vous ont fait faux bond ?
Qu'à cela ne tienne ! Il existe des recettes
pour récupérer des saucisses qui n'ont pas
encore été cuites !

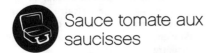

Sauce tomate aux saucisses

1 portion

Ingrédients

4-6 saucisses fraîches, crues

2 oignons jaunes, taillés en dés

3 gousses d'ail, écrasées

Quelques feuilles d'origan frais (ou ½ c. à
soupe d'origan séché)

1 boîte de conserve de 28 oz de tomates
italiennes

Un peu d'huile d'olive

Préparation

1. Préchauffer une casserole à feu moyen et
    y verser un peu d'huile. Sauter les oignons
    environ 5 minutes, jusqu'à ce qu'ils soient
    translucides.

2. Pendant ce temps, retirer les boyaux des
    saucisses ou les presser pour en faire sortir
    la chair.

3. Incorporer la saucisse dans la casserole
    et ajouter l'ail et l'origan. Touiller pour
    mélanger et poursuivre la cuisson environ
    5 minutes.

4. Verser les tomates dans la casserole et les
    écraser avec le dos d'une cuillère de bois
    ou un pilon à pommes de terre. Réduire le
    feu et laisser mijoter à couvert au moins
    1 heure.

5. Servir sur des pâtes longues et fines, comme
    des spaghetti ou des spaghettini.

NOTES

Côte de porc farcie

Ingrédients

2 **côtes de porc** d'environ 2 cm d'épaisseur (environ 300 g en tout)

1 fine tranche d'**ananas frais**

2 tranches de **fromage à pâte ferme** et à croûte lavée

142 g de jeunes **pousses d'épinard**

Un peu de **beurre**

Sel et **poivre** du moulin

 Prévoir ¾ de tasse d'épinards et 120 g de porc pour chaque lunch supplémentaire.

J'ai un faible pour l'Hercule de la Laiterie Charlevoix.

Préparation

1. Avec la pointe d'un couteau bien aiguisé, effectuer une incision sur le côté des côtes pour y insérer la farce.

2. Insérer la tranche d'ananas dans la cavité, saler et poivrer, et remettre au réfrigérateur environ 4 heures. L'acidité naturelle de l'ananas détendra la viande.

3. Lorsque la côte aura suffisamment mariné, ajouter la tranche de fromage et les épinards dans la cavité formée par l'incision. Vous pouvez piquer l'ouverture avec un cure-dent pour éviter que la côte ne s'ouvre lors de la cuisson.

4. Préchauffer une poêle à feu moyen-vif et y faire fondre un peu de beurre. Colorer la côte de porc 3 minutes de chaque côté. Réduire le feu très légèrement et poursuivre la cuisson jusqu'à ce que la viande soit rosée et le fromage fondu, environ 5 minutes de chaque côté.

5. Servir avec un riz pilaf (voir la recette à la page 170) ou une pomme de terre au four accompagnée de légumes sautés.

Note : La côte de porc se mange rosée : ne craignez rien. Si vous hésitez, sachez qu'elle est parfaitement cuite et propre à la consommation sans aucun danger lorsqu'un thermomètre à viande piqué en son centre indique 70 °C.

❉ ❉ ❉

Préparation pour le lunch : couper la côte de porc restante en cubes.

NOTES

Salade d'épinards au miel

1 portion

Ingrédients

¼ de tasse de porc émincé froid

1 c. à thé de moutarde de Dijon

1 c. à thé de miel

½ c. à soupe de vinaigre de riz

1 c. à thé de sauce soya

3 c. à soupe d'huile d'olive

¾ de tasse de jeunes pousses d'épinard

Quelques noix de cajou

1 poignée de fèves germées

Sel et poivre du moulin

Préparation

1. Dans un petit bol, fouetter la moutarde de Dijon avec le miel. Ajouter en filet le vinaigre et la sauce soya, puis l'huile.

2. Dans un saladier, mélanger les épinards, les noix de cajou et les fèves germées. Verser la vinaigrette sur la salade et bien mélanger. Saler et poivrer. Ajouter le porc sur le dessus de la salade.

3. Servir immédiatement.

NOTES

Côtelettes au ketchup

Ingrédients

2 **côtelettes de porc**

2 **pommes de terre**, en tranches minces

¼ de tasse de **bouillon de poulet**

1 c. à soupe de **cassonade**

1 tasse de **ketchup**

2 gousses d'**ail**

1 feuille de **laurier**

1 branche de **romarin**

Un peu de **sirop d'érable** au goût
(facultatif)

4 **oignons**, tranchés

Sel et **poivre** au goût

+ Prévoir ½ côtelette et 1 pomme de terre
de plus pour chaque lunch supplémentaire.

Préparation

1. Préchauffer le four à 375 °F.

2. Fouetter le bouillon, la cassonade, le
ketchup et l'ail ensemble dans une cocotte,
jusqu'à ce que le mélange soit homogène.
Ajouter le laurier, le romarin et le sirop
d'érable. Touiller pour mélanger.

3. Déposer les oignons, les pommes de terre et
les côtelettes dans le fond de la cocotte.

4. Enfourner à couvert et cuire 1 heure.

5. Servir accompagné de légumes vapeur ou
d'une salade.

*Préparation pour le lunch : couper la viande
restante en cubes.*

 Frittata

4 portions

Ingrédients

½ tasse de cubes de côtelettes de porc

¼ de tasse de tranches de pommes de
terre, cuites

1 carotte, coupée en dés

1 branche de céleri, coupée en dés

2 oignons jaunes, coupés en dés

1 tête de brocoli, défaite en petits bouquets

1 poivron rouge, coupé en dés

3 œufs entiers

5 tranches de bacon, cuites et coupées

Un peu de beurre

Un peu d'estragon frais, haché

Une poignée de gouda, râpé

Un peu de beurre

Sel et poivre du moulin

Préparation

1. Préchauffer le four à 375 °F.

2. Écraser grossièrement les pommes de terre
et les mettre dans un grand bol.

3. Dans une poêle chauffée à feu moyen,
faire fondre le beurre doucement. Cuire la
carotte, le céleri, les oignons, le brocoli et
le poivron jusqu'à ce qu'ils soient devenus
tendres sans être mous, de 5 à 8 minutes.
Saler et poivrer le mélange de légumes, puis
l'ajouter aux pommes de terre écrasées.

4. Dans un second bol, battre les œufs.

5. Ajouter les œufs battus, le bacon, la moitié
du gouda et l'estragon aux pommes de terre
et aux légumes. Bien mélanger.

6. Préchauffer une grande poêle allant au four à feu moyen et y faire fondre un peu de beurre. Verser le mélange d'œufs. Ajouter la seconde moitié du gouda sur le dessus du mélange. Cuire sur le feu environ 10 minutes.

7. Enfourner et cuire 15 minutes de plus, ou jusqu'à ce que la frittata soit bien prise et qu'elle soit dorée sur le dessus.

8. Découper en pointes et servir.

NOTES

Poissons et fruits de mer

Moules et frites

Voir la photo à la page 120.

À vos casseroles ! Le temps des moules est arrivé et il s'agit d'un plat rapide et facile à réaliser. Vous désirez essayer de nouvelles recettes ? En voici quelques-unes. Peu importe la sauce, la préparation de cette recette reste la même ; il ne suffit que de choisir votre sauce préférée. Profitez-en pour inviter plusieurs convives : les moules sont économiques et vous ne serez pas dans la cuisine toute la journée. Toutes les recettes de sauce sont pour deux portions. Il suffit de les multiplier pour ajuster les quantités à vos convives.

Ingrédients

Environ 3 lb de **moules**, nettoyées et débarbées

Sauce de votre choix pour accommoder les moules

➕ Prévoir ½ tasse de moules décortiquées pour chaque lunch supplémentaire.

Préparation

1. Dans une grande casserole, verser ⅓ de tasse de la sauce de votre choix. Ajouter les moules.

2. Couvrir, chauffer à feu moyen-vif et cuire environ 7 à 10 minutes.

3. Lorsque la vapeur sort de la casserole, ouvrir le couvercle et vérifier la cuisson des moules. Elles devraient toutes être ouvertes. Une moule toujours fermée sera impropre à la consommation.

4. Servir dans un grand bol et verser ¼ de tasse de sauce par-dessus pour bien napper les moules.

5. Déguster chaud avec des frites.

6.

 ❄ ❄ ❄

Préparation pour le lunch : décortiquer les moules et réserver au froid.

Sauces

Cari, cidre et pomme

1 **pomme verte** en dés, 2 c. à soupe de pâte de **cari jaune**, 1 bouteille de 355 ml de **cidre de pomme**.

Colorer les pommes dans une poêle avec un peu de beurre. **Cuire** de 5 à 8 minutes à feu moyen, puis **ajouter** le cari, et ensuite le cidre.

Crème et bleu

1 tasse de **crème**, ¼ de tasse du **bleu** de votre choix.

Porter la crème à ébullition. **Fermer** le feu et faire **fondre** le bleu dans la crème.

Basquaise

1 **oignon**, 1 **poivron vert**, 2 **tomates**, ½ tasse de **sauce tomate**.

Trancher les légumes en fines lanières, puis les faire **sauter** dans un peu d'huile d'olive. **Cuire** environ 5 minutes, puis **ajouter** la sauce tomate. **Poursuivre** la cuisson à feu doux environ 15 minutes .

Puttanesca

1 tasse de **sauce tomate**, 20 **olives Kalamata** en tranches, 5 filets d'**anchois** hachés, 20 **câpres** hachées.

Mélanger tous les ingrédients et cuire à feu doux environ 15 minutes.

Moutarde de Dijon

1 **échalote** hachée, 1 tasse de **crème**, 5 c. à soupe de **moutarde de Dijon** à l'ancienne.

Colorer l'échalote dans un peu d'huile à feu moyen. **Cuire** environ 5 minutes et **ajouter** la crème et la moutarde de Dijon. Bien **mélanger** pour que la moutarde se diffuse dans la crème.

Crème et fleur d'ail

1 **tige de fleur d'ail** hachée, 1 tasse de **crème**.

À feu doux, faire **cuire** la fleur d'ail dans un peu de beurre, puis **ajouter** la crème. **Porter** la crème à ébullition.

Crème à l'aneth

1 tasse de **crème**, ¼ de tasse d'**aneth** frais ciselé, ½ **bulbe de fenouil** coupé en petits dés.

Verser la crème dans une petite casserole et **ajouter** le fenouil. **Porter** à ébullition, puis réduire le feu. Laisser **mijoter** jusqu'à ce que le fenouil soit tendre. **Passer** la crème au robot-mélangeur et **garnir** avec l'aneth.

Aux épices, au vin et au miel

1 c. à thé de **graines de fenouil**, 1 c. à thé de **cumin**, 1 tasse de **vin blanc** légèrement fruité (type Pinot gris ou Vinho Verde), 2 c. à soupe de **miel**.

Dans une poêle préchauffée à feu moyen, faire **griller** le fenouil et le cumin jusqu'à ce qu'ils embaument. **Ajouter** le vin et le miel, et **cuire** environ 5 minutes.

Marinière

½ tasse d'**échalotes** grises émincées, 1 tasse de **vin blanc**, ¼ de tasse de **persil** haché.

Dans une poêle préchauffée à feu moyen, **verser** un peu d'huile et **sauter** les échalotes une dizaine de minutes, jusqu'à ce qu'elles soient bien translucides. **Ajouter** le vin blanc, puis **réserver**. **Garnir** les moules de persil haché lors du service.

Poulette

1 tasse de **sauce marinière**, ½ tasse de **crème**, 1 jaune d'**œuf**

Mélanger la sauce marinière avec la crème, puis réserver. **Mélanger** le jaune d'œuf avec ¼ de tasse de sauce. **Cuire** les moules avec la sauce sans œuf, puis **arroser** de la sauce avec œuf à la fin de la cuisson des moules.

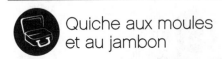

Quiche aux moules et au jambon

2 portions

Ingrédients

½ tasse de moules, cuites et décortiquées
1 croûte à tarte, maison ou du commerce
¼ de tasse de jambon, coupé en petits cubes
4 œufs
½ tasse de crème
½ tasse de lait
1 pincée de sel
1 pincée de paprika
Poivre du moulin
¼ de tasse de fromage à croûte lavée et à pâte semi-ferme de votre choix, râpé

J'ai une préférence pour le fromage D'Iberville, de la fromagerie Au Gré des Champs.

Préparation

1. Préchauffer le four à 375 °F.

2. Déposer la croûte à tarte sur un plan de travail et parsemer le fond de celle-ci avec les moules et les cubes de jambon.

3. Dans un saladier, fouetter ensemble les œufs, la crème, le lait, le sel, le paprika et le poivre du moulin. Verser ce mélange sur les moules dans la tarte, puis recouvrir avec le fromage râpé.

4. Enfourner et cuire 15 minutes. Réduire le feu à 325 °F et poursuivre la cuisson environ 30 minutes, ou jusqu'à ce que la quiche soit cuite, c'est-à-dire jusqu'à ce qu'elle ne soit plus tremblotante et que la croûte soit dorée et croustillante.

✳ ✳ ✳

Ce lunch peut être congelé.

Soupe de moules, croûtons maison et rouille

1 portion

Ingrédients

1 tasse de moules, cuites et décortiquées

1 tasse de mayonnaise

½ tête d'ail (5-6 gousses environ), hachée finement

1 c. à thé de jus de citron

1 c. à thé de safran

1 tasse de poisson, coupé en gros dés (facultatif)

1 oignon, haché

1 branche de thym

1 c. à soupe de pâte de tomate

1 gousse d'ail, hachée

½ tasse de tomates, en dés, fraîches ou en conserve

2 tasses de fumet de poisson ou de jus de cuisson des moules

3 c. à soupe d'huile d'olive

Un peu de beurre

Sel et poivre du moulin

Préparation

1. Dans un petit bol, mélanger la mayonnaise avec l'ail, le jus de citron et le safran. Ajouter l'huile en filet en fouettant. Réserver au froid.

2. Dans une casserole préchauffée à feu doux, faire fondre un peu de beurre et cuire l'oignon avec le thym, la pâte de tomate et l'ail.

3. Saler et poivrer, puis ajouter les tomates, les moules, le poisson et le fumet. Chauffer jusqu'à ce que le liquide frémisse, puis réduire à feu doux et cuire environ 30 à 40 minutes.

4. Servir avec des croûtons maison ou des craquelins du commerce et accompagner de rouille.

❊ ❊ ❊

Ce lunch peut être congelé.

Salade de fusilli aux moules et au zeste d'orange

1 portion

Ingrédients

¼ de tasse de moules, cuites et décortiquées

1 tasse de fusilli, cuits puis refroidis

1 poivron rouge, taillé en gros dés

1 branche de céleri, taillée en gros dés

1 oignon vert, émincé

Le zeste d'une orange

2 oranges, les suprêmes levés

¼ de tasse de coriandre, hachée grossièrement

¼ de tasse de mayonnaise

3 c. à soupe d'huile d'olive

Poivre du moulin

Préparation

1. Mélanger tous les ingrédients dans un grand bol, puis servir froid.

Note : Vous pouvez remplacer la mayonnaise par de la crème sure ou par du yogourt nature ou par un mélange de ces trois ingrédients si vous le désirez.

Tournedos de saumon aux épinards

Ingrédients

2 **pavés de saumon** d'environ 2,5 cm d'épaisseur et 5 cm de largeur, sans la peau

1 poignée de **jeunes pousses d'épinard**

De la **ficelle à rôti**, que vous pourrez trouver chez votre boucher

Sel et **poivre** du moulin

➕ Prévoir 100 g de saumon cuit pour chaque lunch supplémentaire.

Préparation

1. Préchauffer le four à 350 °F. Vous pouvez aussi utiliser le barbecue préchauffé à feu élevé.

2. Sur le plan de travail, déposer le pavé de saumon côté peau dessous (évidemment, vous aurez enlevé la peau au préalable, mais c'est ce côté qui devra être dessous). Saler et poivrer le saumon, et garnir avec les jeunes pousses d'épinard.

3. Rouler le pavé de saumon et ficeler pour bien maintenir en place. Si vous n'avez pas de ficelle à rôti, utiliser un cure-dent pour maintenir la roulade fermée ou l'envelopper dans du papier d'aluminium.

4. Déposer sur une plaque à cuisson chemisée de papier parchemin. Enfourner et cuire 15 minutes, ou jusqu'à ce que le saumon se défasse facilement à la fourchette. Un liquide blanchâtre devrait suinter de la chair du saumon à ce moment : pour les poissons à chair rosée, c'est le signe qu'ils sont cuits à point.

❄ ❄ ❄

Préparation pour le lunch : émietter le saumon et réserver au frais.

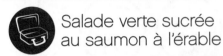

Salade verte sucrée au saumon à l'érable

1 portion

Ingrédients

100 g de saumon cuit, émietté

½ tasse de jeunes pousses d'épinard

10 noix de Grenoble

10 raisins rouges

1 pomme verte, coupée en dés

1 c. à soupe de moutarde de Dijon

2 c. à soupe de sirop d'érable

1 c. à soupe de jus de citron

5 c. à soupe d'huile d'olive

Préparation

1. Dans un grand saladier, déposer les épinards, puis parsemer avec les noix, les raisins et la pomme verte.

2. Dans un petit bol, fouetter la moutarde de Dijon avec le sirop d'érable et le jus de citron. Ajouter l'huile en filet.

3. Émietter le saumon sur la salade et arroser de vinaigrette. Servir immédiatement.

NOTES

Saumon rôti au citron et aux herbes fraîches

Voir la photo à la page 153.

Ingrédients

2 **pavés de saumon**

½ c. à thé de **thym** frais, effeuillé

1 c. à thé d'**aneth** frais, ciselé

1 c. à thé de **ciboulette**, ciselée

1 c. à thé de **persil**, haché

Le zeste d'un **demi-citron**

¼ de tasse de **crème fraîche** épaisse

Le jus d'un **citron**

Un peu de **beurre**

Sel et **poivre** du moulin

➕ Prévoir ½ tasse de saumon pour chaque lunch supplémentaire.

Préparation

1. Préchauffer le four à 350 °F. Chemiser une plaque à cuisson de papier parchemin.

2. Déposer le saumon sur la plaque et garnir chaque pavé d'une noix de beurre. Parsemer avec le thym effeuillé, puis saler et poivrer.

3. Enfourner et cuire entre 10 et 15 minutes, ou jusqu'à ce que le saumon se défasse facilement à la fourchette.

4. Pendant ce temps, mélanger les autres herbes et le zeste de citron avec la crème fraîche.

5. Lorsque le saumon est cuit, presser un peu de jus de citron sur chaque pavé. Garnir ensuite avec une cuillère de crème fraîche aux herbes.

6. Servir accompagné d'un riz aux légumes.

Préparation pour le lunch : réserver le saumon cuit au froid.

Pita farci au saumon, à l'avocat et à la tomate

1 portion

Ingrédients

½ **tasse de saumon cuit, émietté**

3 c. à soupe de crème fraîche aux herbes

1 pita de blé

Une feuille de laitue de votre choix

1 tomate italienne, tranchée finement

1 avocat, tranché finement

Quelques tranches de concombre

Préparation

1. Effilocher le saumon à l'aide d'une fourchette. Mélanger avec la crème fraîche aux herbes jusqu'à l'obtention d'une texture crémeuse et tartinable.

2. Doubler votre pita de la feuille de laitue pour empêcher que le pain absorbe l'humidité du mélange de poisson. Farcir le sandwich avec le saumon, puis garnir avec la tomate, l'avocat et le concombre.

NOTES

Coquilles St-Jacques

Ingrédients

500 g de **fruits de mer** mélangés, au choix

1 **échalote**, hachée

½ paquet de 227 g de **champignons de Paris** ou café, coupés en petits dés

¼ de tasse de **vin blanc sec**

¼ de tasse de **crème à cuisson 35 %**

1 tasse de **purée de pommes de terre**, chaude

¼ de tasse de **fromage à croûte lavée** de votre choix, râpé

2 grosses **coquilles St-Jacques** allant au four

Un peu de **beurre**

Sel et **poivre** du moulin

+ Prévoir ½ tasse de mélange de fruits de mer en sauce pour chaque lunch supplémentaire.

> J'ai une préférence pour le fromage Fredondaine, de la fromagerie La Vache à Maillotte.

Préparation

1. Préchauffer le four à 400 °F.

2. Verser un peu de beurre dans une poêle préchauffée à feu moyen-vif et y sauter les fruits de mer, l'échalote et les champignons pendant environ 5 minutes.

3. Ajouter le vin blanc et laisser réduire 5 minutes. Ajouter la crème, puis laisser réduire à nouveau jusqu'à ce que le mélange soit assez épais pour napper le dos d'une cuillère.

4. Pendant ce temps, faire des rosettes de purée de pommes de terre tout autour des coquilles St-Jacques au moyen d'une douille à pâtisserie ou d'un sac refermable dont vous aurez tranché le coin.

5. Déposer le mélange de fruits de mer au milieu des coquilles, puis parsemer de fromage râpé.

6. Enfourner et cuire environ 10 minutes, ou jusqu'à ce que les pommes de terre deviennent dorées et que le fromage soit croustillant.

Note : J'aime utiliser un mélange égal de pétoncles, de crevettes nordiques et de goberge en gros morceaux, mais, si le crabe ou le homard sont en saison, n'hésitez pas !

———— ❄ ❄ ❄ ————

Préparation pour le lunch : réserver le mélange de fruits de mer en sauce au frais.

 Feuilleté de la mer en sauce crémeuse

1 portion

Ingrédients

½ **tasse de préparation à coquilles St-Jacques**

Un peu d'**aneth**, grossièrement haché

¼ de tasse de **crème à cuisson 35 %**

1 **timbale de pâte feuilletée** du commerce (de type vol-au-vent)

Préparation

1. Dans une poêle préchauffée à feu moyen-vif, réchauffer la préparation à coquilles St-Jacques environ 5 minutes. Parsemer d'aneth haché.

2. Réchauffer la timbale de pâte feuilletée et garnir avec le mélange de fruits de mer en sauce.

Salade de goberge épicée en deux versions

1 portion

Ingrédients

1 tasse de goberge

1 branche de céleri, coupée en dés

1 poivron rouge, coupé en dés

1 tomate, coupée en dés

2 c. à thé de coriandre fraîche, hachée grossièrement

1 c. à thé de pesto

3 c. à soupe de mayonnaise

Quelques gouttes de Tabasco

Poivre du moulin

Préparation

1. Dans un saladier, mélanger tous les ingrédients, puis assaisonner. Réserver au froid.

2. Servir sur des pâtes froides ou en sandwich avec votre pain préféré grillé.

NOTES

_____

_____

_____

_____

_____

_____

_____

_____

_____

Riz façon paëlla

1 portion

Ingrédients

½ tasse de fruits de mer mélangés, cuits (vous pouvez ajouter des calmars aux fruits de mer utilisés précédemment)

½ tasse de riz

1 pincée de safran

1 oignon jaune, haché

1 poivron jaune, coupé en dés

2 tomates, coupées en dés

¼ de tasse de gourganes, cuites

Un peu d'huile

Préparation

1. Cuire le riz selon les indications du fabricant, en ajoutant le safran au milieu de la cuisson.

2. Chauffer une grande poêle à feu moyen-vif et y verser un peu d'huile. Sauter l'oignon, le poivron et les tomates environ 5 minutes. Réserver.

3. Dans la même poêle, ajouter les fruits de mer et faire revenir jusqu'à ce que ceux-ci soient chauds. Les fruits de mer relâcheront du liquide lors de la cuisson. Il est important de le conserver pour parfumer l'ensemble de votre plat.

4. Verser le riz dans la poêle et ajouter aux fruits de mer. Incorporer les légumes et rectifier l'assaisonnement au besoin.

Note : Les gourganes se retrouvent généralement dans la section des légumes surgelés de votre épicerie préférée. Vous pourriez aussi utiliser des gourganes en conserve.

Poisson pané aux céréales

Ingrédients

1 **pavé de poisson blanc** (turbo, doré, perchaude, etc.) par personne

½ tasse de **flocons de maïs** non sucrés (de type Corn Flakes)

Un peu d'**huile d'olive**

+ Prévoir 150 g de poisson pour chaque lunch supplémentaire.

Préparation

1. Préchauffer le four à 400 °F. Chemiser une plaque à cuisson de papier parchemin.

2. Écraser grossièrement les flocons de maïs avec la paume de votre main et déposer le tout dans une assiette creuse.

3. Enrober le poisson dans les flocons en pressant légèrement et déposer sur la plaque à cuisson.

4. Arroser la panure de chaque poisson d'un filet d'huile d'olive. Ceci aidera la panure à devenir plus croustillante et dorée.

5. Enfourner et cuire environ 10 minutes. Retourner les filets.

6. Poursuivre la cuisson entre 5 et 10 minutes, ou jusqu'à ce que le poisson soit cuit et la panure croustillante. Le temps de cuisson peut facilement varier en fonction de l'épaisseur du pavé et du poisson choisi. Au besoin, renseignez-vous auprès de votre poissonnier.

Note : Vous pouvez servir ce poisson avec une petite sauce de votre choix. La sauce tartare est délicieuse et elle sera déjà prête pour le hamburger du lendemain. Sinon, un mélange de mayonnaise et de crème sure assaisonné avec du paprika ou une sauce barbecue du commerce feront tout aussi bien l'affaire.

Préparation pour le lunch : réserver le poisson pané au réfrigérateur.

Voir la photo à la page 155.

Hamburger de poisson et sa sauce tartare

1 portion

Ingrédients

1 filet de poisson pané aux céréales, entier et cuit

¼ de tasse de mayonnaise

1 échalote, hachée

10 petites câpres, hachées

1 gros cornichon à l'aneth, haché

20 feuilles d'estragon, hachées

Le jus d'un demi-citron

Un pain à hamburger

Préparation

1. Préchauffer le four à 350 °F.

2. Réchauffer le filet de poisson sur une plaque à cuisson environ 15 minutes, ou jusqu'à ce qu'il soit chaud.

3. Mélanger la mayonnaise avec l'échalote, les câpres, le cornichon, l'estragon et le jus de citron. Réserver.

4. Faire griller le pain. Monter le sandwich en empilant le poisson sur le pain et garnir de sauce tartare.

Filet de flétan et crevettes sur un lit de vermicelles de riz

Ingrédients

1 **pavé de flétan**, coupé en gros cubes

Environ 250 g de **vermicelles de riz**

6 **crevettes**, crues

1 **poivron rouge**, tranché en lanières

½ **oignon rouge**, émincé

1 **branche de céleri**, finement tranchée

1 gousse d'**ail**, hachée

3 c. à soupe de **sauce soya**

1 c. à soupe de **sauce hoisin**

1 tasse de **bouillon de légumes**

2 c. à soupe de **fécule de maïs**, diluée dans 4 c. à soupe d'**eau froide**

Une petite poignée de **graines de sésame** grillées

Quelques feuilles de **basilic thaï** (vous pourriez aussi utiliser du basilic italien)

Le **jus d'un citron**

Un peu de **beurre**

+ Prévoir ¼ de tasse de vermicelles de riz pour chaque lunch supplémentaire.

Préparation

1. Cuire les nouilles de riz selon les indications du fabricant, puis réserver.

2. Dans une poêle chauffée à feu moyen-vif, faire fondre le beurre et sauter le poisson environ 4 minutes. Touiller, puis ajouter les crevettes.

3. Cuire jusqu'à ce que le poisson et les crevettes soient complètement cuits, puis réserver.

4. Dans la même poêle, faire revenir le poivron, l'oignon rouge, le céleri et l'ail. Cuire de 4 à 5 minutes, puis ajouter la

sauce soya, la sauce hoisin et le bouillon de légumes. Incorporer la fécule de maïs, puis porter à ébullition.

5. Déposer les nouilles cuites dans une assiette ou un bol creux avec le poisson et les crevettes autour. Verser le mélange de légumes sur le poisson et les nouilles.

6. Terminer avec le jus de citron et garnir de basilic thaï.

❄ ❄ ❄

Préparation pour le lunch : réserver les vermicelles cuits et le poisson au réfrigérateur. Réserver le poisson sans la sauce.

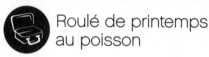

Roulé de printemps au poisson

1 portion

Ingrédients

1-2 crevettes ou 1 morceau de flétan, sans sauce

1 feuille de riz, trempée quelques secondes dans l'eau froide

1 feuille de laitue

3-4 feuilles de basilic thaï

¼ de tasse de vermicelles de riz, cuits

¼ de tasse de légumes crus de votre choix (poivrons, carottes, concombres, etc.), en juliennes

Préparation

1. Déposer la feuille de riz ramollie sur un plan de travail et couvrir la moitié de sa surface avec la laitue. Déposer le basilic, les vermicelles de riz et les juliennes de légumes sur la laitue. Terminer avec les crevettes, puis le poisson.

2. Rouler la feuille de riz en commençant par la moitié garnie. Refermer les extrémités avant de finir le rouleau.

3. Trancher le rouleau en biseau au milieu, puis déguster.

Sauté de crevettes à l'ail

Ingrédients

10-12 **crevettes tigrées** ou environ
1 lb de **crevettes**

1 branche de **thym frais**, effeuillée

2 gousses d'**ail**, hachées

1 **échalote**, hachée

¼ de tasse de **vin blanc**

Quelques feuilles de **coriandre**

Un peu de **beurre**

Sel et **poivre** du moulin

✚ Prévoir 3-4 crevettes sautées et 1 tasse de riz pour chaque lunch supplémentaire.

Préparation

1. Dans une poêle préchauffée à feu moyen-vif, faire fondre un peu de beurre et sauter les crevettes avec le thym, l'échalote et l'ail jusqu'à ce que les crevettes soient roses et opaques, environ 4 minutes de chaque côté.

2. Verser le vin blanc dans la poêle et râcler le fond avec une cuillère de bois pour bien décoller les sucs de cuisson. Laisser réduire à sec.

3. Servir les crevettes garnies de coriandre fraîche.

4. Ce plat sera délicieux avec du riz et des légumes sautés.

❅ ❅ ❅

Préparation pour le lunch : *réserver les crevettes cuites au froid.*

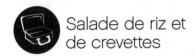

Salade de riz et de crevettes

1 portion

Ingrédients

3-4 crevettes tigrées, cuites

1 tasse de riz, cuit

1 oignon vert, émincé

2 c. à soupe d'huile d'olive

2 c. à soupe de mayonnaise

1 c. à soupe de sauce chili

Préparation

1. Dans un grand saladier, mélanger le riz, les crevettes et l'oignon vert.

2. Dans un petit bol, fouetter l'huile, la mayonnaise et la sauce chili ensemble. Verser sur le mélange de riz et touiller pour répartir.

3. Servir froid.

NOTES

Feuilleté de crevettes tigrées en sauce

Ingrédients

1 paquet de **pâte feuilletée** du commerce de 397 g

1 jaune d'**œuf**, battu

2 branches de **thym**, effeuillées

300 g de **crevettes** tigrées

1 **échalote**, hachée

1 gousse d'**ail**, hachée

¼ de tasse de **vin blanc**

¾ de tasse de **crème à cuisson 35 %**

¼ de tasse de **bouillon de poisson** (ou de volaille)

Un peu de **beurre**

Un peu d'**huile**

Sel et **poivre** du moulin

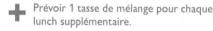 Prévoir 1 tasse de mélange pour chaque lunch supplémentaire.

Préparation

1. Préchauffer le four selon les indications écrites sur l'emballage de la pâte feuilletée.

2. Rouler la pâte jusqu'à ce qu'elle ait une épaisseur d'environ 5 mm.

3. À l'aide d'un couteau ou d'un emporte-pièce, découper des portions de pâte feuilletée de la forme que vous désirez. Badigeonner de jaune d'œuf, puis parsemer de feuilles de thym.

4. Enfourner et cuire selon les indications du fabricant (soit de 10 à 15 minutes pour cette épaisseur).

5. Pendant ce temps, préchauffer une grande poêle à feu moyen-vif et y verser un mélange d'huile et de beurre. Sauter les crevettes jusqu'à ce qu'elles deviennent roses et opaques, soit environ 3 minutes de chaque côté. Réserver.

6. Réduire le feu et ajouter les échalotes, une branche de thym effeuillée et l'ail, puis poursuivre la cuisson 3 minutes. Déglacer avec le vin blanc et bien racler le fond de la poêle avec une cuillère de bois. Laisser le liquide réduire jusqu'à ce que le mélange soit presque sec.

7. Ajouter la crème, puis laisser réduire à feu moyen environ 10 minutes, ou jusqu'à ce que la sauce devienne lisse et nappe bien le dos d'une cuillère. Ajouter le bouillon de poisson ou de volaille et saler et poivrer. Laisser frémir environ 5 minutes, puis ajouter les crevettes.

8. Trancher la pâte feuilletée en deux dans le sens de l'épaisseur, comme pour un pain à hamburger.

9. Garnir le dessous de la pâte feuilletée avec le mélange de crevettes tigrées, puis coiffer avec l'autre moitié.

Note : La pâte feuilletée se retrouve dans la section des produits surgelés de votre épicerie.

❄ ❄❄ ❄

Préparation pour le lunch : réserver le mélange de crevettes au frais.

NOTES

Voir la photo à la page 119.

Salade de roquette à l'agrume et aux crevettes

1 portion

Ingrédients

¼ de tasse de crevettes tigrées

Une grosse poignée de roquette

1 orange, coupée en suprêmes*

½ pamplemousse rose, coupé en suprêmes

8 petites tomates, coupées en deux

Le zeste et le jus d'une lime

Le jus d'agrumes recueilli en levant les suprêmes

2 c. à soupe d'huile d'olive

¼ de c. à thé de moutarde de Dijon

Sel et poivre du moulin

Préparation

1. Déposer la roquette dans un grand saladier et parsemer des tomates et des suprêmes d'agrumes.

2. Sur le barbecue ou dans une poêle en fonte striée, griller les crevettes à feu vif jusqu'à ce qu'elles soient roses et opaques, environ 3 minutes de chaque côté. Réserver dans un bol non réactif.

3. Arroser du jus de lime et parsemer de zeste. Touiller pour enrober.

4. Fouetter le jus d'agrumes, l'huile d'olive et la moutarde, puis saler et poivrer. Déposer les crevettes sur la salade, puis verser la vinaigrette.

* Pour préparer les suprêmes d'agrumes, trancher les extrémités du fruit pour exposer la chair. Enlever la pelure ainsi que la peau blanche jusqu'à ce qu'il ne reste que la chair du fruit. Utiliser ensuite la pointe d'un couteau pour lever le fruit contenu dans chacune des sections. Vous pouvez préparer cette étape au-dessus d'un bol pour recueillir le jus des agrumes.

Pâté aux crevettes à la crème d'aneth

1 portion

Ingrédients

1 tasse du mélange de crevettes tigrées en sauce à la crème

1 abaisse et 1 croûte à tarte (format individuel)

¼ de tasse de crème 35 %

1 c. à soupe d'aneth haché grossièrement

Préparation

1. Préchauffer le four selon les instructions écrites sur l'emballage de l'abaisse ou, s'il s'agit d'une croûte maison, préchauffer à 375 °F.

2. Mélanger la crème, l'aneth et le mélange aux crevettes encore froid, puis déposer dans l'abaisse. Recouvrir avec la croûte, puis enfourner. Cuire de 40 à 50 minutes, ou jusqu'à ce que la pâte soit dorée.

NOTES

Pissaladière feuilletée

1 portion

Ingrédients

1 portion de pâte feuilletée

1 oignon

5 anchois

8 olives Kalamata, en rondelles

Un peu de beurre

Préparation

1. Préchauffer le four selon les indications inscrites sur l'emballage de pâte feuilletée. Chemiser une plaque à cuisson de papier parchemin. Réserver.

2. Dans une poêle préchauffée à feu moyen, faire fondre un peu de beurre et cuire l'oignon une dizaine de minutes. Réduire le feu et cuire 10 autres minutes, ou jusqu'à ce que les oignons aient compoté. Ajouter un peu d'eau au besoin. Refroidir.

3. Rouler la pâte feuilletée à une épaisseur de 2 mm et déposer sur la plaque à cuisson. Piquer sa surface à plusieurs reprises à l'aide d'une fourchette. Recouvrir avec les oignons caramélisés, puis garnir avec les anchois et les olives.

4. Enfourner et cuire au moins 40 minutes, ou jusqu'à ce que la pâte soit cuite et de couleur dorée.

5. La pissaladière est traditionnellement préparée avec de la pâte à pain difficilement trouvable dans les grandes surfaces. La pâte feuilletée permet une variante agréable à ce plat traditionnel niçois. Ce plat sera délicieux servi avec de la salade.

6. **Variante :** Vous pouvez aussi préparer ce plat en bouchées, en utilisant des retailles de pâte feuilletée.

NOTES

Filet de doré avec sa salsa de fruits et son zeste de lime

Voir la photo à la page 154.

Ingrédients

- 1-2 **filets de doré**, selon la grosseur
- 1 **tomate**, coupée en dés
- 1 petite **mangue**, coupée en dés
- 1 **concombre libanais**, coupé en dés
- Le zeste de 2 **limes**
- Le jus de 2 **limes**
- 3 **fraises**, coupées en dés
- 5-6 **framboises**, coupées en deux
- 1 **échalote**, hachée
- 2 c. à soupe de **ciboulette**, ciselée
- ¼ de tasse d'**huile d'olive**
- Un peu de **beurre**

➕ Prévoir 1 filet de doré (environ 1 tasse de doré émietté) de plus pour chaque lunch supplémentaire.

Préparation

1. Mélanger la tomate, la mangue, le concombre, le zeste et le jus de lime, les fraises, les framboises, l'échalote, la ciboulette et l'huile d'olive ensemble. Saler et poivrer, puis réserver au frais.

2. Faire fondre un peu de beurre dans une poêle préchauffée à feu moyen.

3. Saler et poivrer les filets de doré, puis cuire dans le beurre environ 5 minutes de chaque côté. Le temps de cuisson peut varier selon l'épaisseur des filets, mais le poisson est prêt lorsqu'il devient opaque.

4. Ce plat sera excellent avec une salade aux laitues et aux légumes du moment ou avec un riz pilaf avec des légumes sautés.

Préparation pour le lunch: réserver le poisson cuit au réfrigérateur.

Rillettes de doré et vinaigrette

1 portion

Ingrédients

- **1 tasse de doré cuit, émietté**
- 1 échalote, hachée
- ½ tasse de crème à cuisson 35 %
- Un peu de beurre
- Une vinaigrette simple de votre choix

Préparation

1. Dans une poêle préchauffée à feu doux, faire fondre un peu de beurre et sauter l'échalote jusqu'à ce qu'elle devienne translucide, soit environ 10 minutes.

2. Ajouter la crème et continuer la cuisson à feu moyen-vif, jusqu'à ce que la crème soit suffisamment réduite pour napper le dos d'une cuillère.

3. Mélanger la crème avec le doré effiloché à l'aide d'une fourchette, puis réfrigérer jusqu'à ce que les rillettes soient froides.

4. Ce repas se sert généralement accompagné de croûtons de pain et d'une salade arrosée d'une vinaigrette acide, comme une gastrique.

Note : S'il vous reste du doré cru, vous pouvez aussi l'ajouter à la crème lors de sa réduction et l'effilocher à la fourchette lorsque vous préparerez les rillettes.

Brandade et croûtons maison

1 portion

Ingrédients

¼ de tasse de doré cuit, effiloché

¼ de tasse de purée de pommes de terre

3 c. à soupe de crème

2 c. à soupe de ciboulette, ciselée

Croûtons maison

Préparation

1. Dans un bol allant au micro-ondes, mélanger tous les ingrédients (sauf les croûtons) et couvrir avec une pellicule plastique. Chauffer au four micro-ondes entre 1 et 2 minutes, selon la puissance du four.

   Note : La brandade est classiquement préparée avec de la morue, mais n'importe quel poisson à chair blanche peut faire l'affaire. Elle est servie chaude, avec des croûtons. N'hésitez pas à la réchauffer au micro-ondes si vous l'apportez au boulot.

NOTES

Homard poché et beurre à la fleur d'ail

Ingrédients

- 1 **homard** vivant d'environ 1 ½ lb
- ¼ de tasse de **beurre salé**
- ½ **tige de fleur d'ail**, hachée

+ Prévoir 150 g de homard cuit et décortiqué (environ ½ homard, selon son poids) pour chaque lunch supplémentaire.

Préparation

1. Remplir une grande casserole d'eau et l'amener à ébullition. Saler abondamment. Couper les élastiques du homard, puis le plonger tête première dans l'eau bouillante. Lorsque l'eau recommence à bouillir, compter entre 8 et 10 minutes de cuisson par livre et ajouter 2 minutes de cuisson par quart de livre supplémentaire. Il vous faudra entre 12 et 14 minutes de cuisson pour un homard de 1 ½ livre. Lorsque le homard est cuit, ses antennes se détachent facilement quand on tire dessus.

2. Dans une poêle chauffée à feu moyen, faire fondre une noix de beurre, puis sauter la fleur d'ail environ 5 minutes, jusqu'à ce qu'elle soit tendre. Ajouter le reste du beurre, puis fermer le feu pour qu'il fonde sans cuire.

3. Servir le homard entier avec les instruments nécessaires pour le décortiquer, et accompagner du beurre à la fleur d'ail.

Note : La fleur d'ail a une saveur beaucoup plus délicate que l'ail traditionnel. Si vous n'en trouvez pas, je vous propose une autre trempette d'accompagnement. Ne remplacez pas la fleur d'ail par de l'ail traditionnel, car son goût trop puissant masquera la délicatesse du homard.

———— ❄ ❄ ❄ ————

Préparation pour le lunch : décortiquer le homard et réserver au froid.

Salsa pour homard

Ingrédients

- 1 **avocat**, coupé en dés
- 1 **tomate**, coupée en dés
- ½ **échalote**, hachée
- 1 filet d'**huile d'olive**
- **Poivre** du moulin

Préparation

1. Mélanger tous les ingrédients jusqu'à l'obtention d'une consistance homogène. Vous pouvez aussi ajouter des olives si vous voulez une version méditerranéenne.

 Risotto de homard

1 portion

Ingrédients

150 g de homard, cuit et décortiqué

1 oignon, haché finement

125 g de riz arborio

¼ de tasse de vin blanc

Environ 3 tasses de bouillon de légumes

¼ de tasse de parmesan, râpé

Un peu de beurre

Préparation

1. Dans une casserole chauffée à feu moyen, faire fondre un peu de beurre et y sauter l'oignon environ 8 minutes, ou jusqu'à ce qu'il soit translucide.

2. Ajouter le riz arborio et faire revenir dans le beurre avec l'oignon 1 à 2 minutes.

3. Verser le vin blanc dans la casserole et laisser réduire presque à sec en remuant continuellement.

4. Ajouter le bouillon de légumes une louche à la fois, en prenant soin d'attendre que le riz ait absorbé presque tout le liquide avant d'en ajouter d'autre. La cuisson du risotto est délicate et il est difficile d'estimer la quantité de bouillon nécessaire ou le temps de cuisson. Il faut goûter souvent et prendre le temps requis pour incorporer le bouillon. Le risotto est cuit lorsque le riz est tendre, mais encore ferme sous la dent, comme des pâtes *al dente*.

5. Lorsque le risotto est prêt, retirer du feu et incorporer le beurre et le parmesan. Le risotto devrait être consistant et crémeux.

6. Pendant ce temps, réchauffer le homard dans une poêle à feu moyen. Garnir le risotto avec le homard et ajouter de gros copeaux de parmesan au goût.

    Note : Si vous avez un restant de risotto, vous pouvez le récupérer en confectionnant des arancini, aussi connus sous le nom de suppli al telefono, en l'honneur des filaments de fromage qui font penser à des fils de téléphone qui s'étirent à l'infini.

NOTES

_____

_____

_____

_____

_____

_____

_____

_____

_____

_____

_____

_____

Voir la photo à la page 156.

Arancini

1 portion

Ingrédients

1 tasse de risotto, froid

Environ ½ tasse de mozzarella, coupé en cubes d'environ 1 cm

1 œuf, battu

Environ ½ tasse de farine

Environ ½ tasse de chapelure de pain

De l'huile pour la friture

Préparation

1. Avec vos mains, que vous aurez pris soin de passer préalablement sous l'eau, confectionner des boules d'environ 4 cm de diamètre.

2. Aplatir légèrement, déposer un cube de fromage au centre du disque et refermer pour que le risotto enrobe le fromage. Réfrigérer avant de passer à l'étape suivante.

3. Fariner les arancini, puis les tremper dans l'œuf et dans la chapelure. Répéter l'opération pour chaque boulette de riz.

4. Chauffer l'huile à 180 °F et frire les arancini jusqu'à ce que la chapelure soit dorée et croustillante, plus ou moins 5 minutes.

❄ ❄ ❄

Ce lunch peut être congelé.

NOTES

Volaille

×1 ×1

Poulet à la parmigiana

Voir la photo à la page 159.

Ingrédients

1 **poitrine de poulet**

1 **oignon**, coupé en petits dés

1 c. à thé d'**origan frais** (2 grosses pincées d'**origan séché** feront l'affaire)

1 boîte de conserve de **tomates en dés**

1 **œuf**, battu

1 tasse de **chapelure de pain**, maison ou du commerce

Un peu de **farine**

Une tranche de **fromage à croûte lavée** de votre choix

Sel et **poivre** du moulin

Un peu d'**huile**

Un peu de **beurre**

+ Prévoir ½ poitrine pour chaque lunch supplémentaire.

J'ai une préférence pour le fromage Pied-De-Vent, de la fromagerie du même nom.

Préparation

1. Préchauffer le four à 350 °F.
2. Dans une casserole, faire fondre le beurre à feu moyen-vif, puis ajouter l'oignon. Colorer 1 à 2 minutes. Ajouter l'origan et les tomates, puis saler et poivrer. Laisser mijoter jusqu'à épaississement de la sauce tomate, soit pendant environ 10 minutes.
3. Mettre dans trois bols séparés la farine, l'œuf battu et la chapelure. Bien fariner la poitrine de poulet, puis tapoter pour enlever l'excédent de farine. Tremper la poitrine farinée dans l'œuf, puis passer dans la chapelure pour obtenir une panure uniforme.
4. Dans une poêle pouvant aller au four, chauffer l'huile à feu moyen-vif. Déposer la poitrine enrobée de chapelure dans la poêle. Frire uniformément en tournant régulièrement la poitrine avec des pinces pendant 3 à 5 minutes, jusqu'à la formation d'une légère croûte.
5. Enfourner et cuire 15 minutes, ou jusqu'à la cuisson complète du poulet. Cinq minutes avant la fin de la cuisson, ajouter la tranche de fromage sur la poitrine.
6. Une fois la cuisson terminée et le fromage fondu, placer la poitrine dans une assiette et arroser de sauce tomate maison.
7. Servir accompagné de pâtes et de petits légumes cuits à la vapeur.

Note : Vous pouvez facilement faire cette recette à l'avance, en préparant la sauce tomate, puis en cuisant le poulet. Il ne restera qu'à réchauffer au four et à faire gratiner. Sur une note plus nutritionnelle, les boîtes de conserve de tomates préparées en Italie contiennent moins de sodium que celles du Canada.

Préparation pour le lunch : *réfrigérer le poulet parmigiana.*

NOTES

Salade de poulet parmigiana

Ingrédients

1 portion

½ poitrine de poulet, cuite selon les instructions de la recette précédente

Environ 5 feuilles de laitue romaine

2 c. à soupe de vinaigrette à salade César, maison (voir la recette à la page 168) ou du commerce

3 c. à soupe d'oignon rouge, haché

2 c. à thé de parmesan, en copeaux ou râpé

1 c. à thé de miettes de bacon (facultatif)

Croûtons

Préparation

1. Trancher le poulet en lanières et déchiqueter la laitue romaine.
2. Dans un grand saladier, mélanger la laitue avec la vinaigrette et l'oignon rouge.
3. Ajouter les croûtons, le bacon, le poulet, le parmesan et mélanger.

NOTES

_____

_____

_____

_____

_____

_____

_____

_____

Hamburger de poulet pané simplissime

Ingrédients

1 portion

1 poitrine de poulet panée, cuite selon les indications de la recette précédente

1 c. à soupe de mayonnaise

½ c. à soupe de sauce tomate

1 pain à hamburger

1 feuille de laitue romaine

Une tranche de fromage à pâte semi-ferme de votre choix

Un peu de beurre

J'ai une préférence pour le fromage Le Douanier, de la Fromagerie Fritz Kaiser.

Préparation

1. Dans un petit bol, mélanger la mayonnaise et la sauce tomate.
2. Au four ou dans une poêle, griller uniformément chaque tranche du pain à hamburger. Réserver.
3. Déposer le poulet cuit dans une poêle chaude. Réchauffer en le tournant avec des pinces jusqu'à ce qu'il soit complètement chaud.
4. Dans une assiette, assembler le hamburger en le garnissant avec le fromage, la laitue et le mélange de mayonnaise et de sauce tomate.

Note : Il est possible de substituer la cuisson au poêle par celle au four. Il suffit dans ce cas de préchauffer le four à 350 °F et de déposer le poulet dans un plat adéquat pour le faire cuire 5 à 10 minutes.

Poulet rôti à l'ail et pommes de terre d'accompagnement

Voir la photo à la page 160.

Ingrédients

1 **poulet** à rôtir, entier

4 gousses d'**ail**, hachées

1 **échalote**, coupée en dés

¼ de c. à thé de **poudre de sauge**

¼ de c. à thé de **paprika**

5 c. à soupe de **moutarde de Dijon**

10 **pommes de terre grelot**, tranchées en deux

1 **oignon**, coupé grossièrement

Sel et **poivre** du moulin

➕ Prévoir ½ poitrine ou une cuisse pour chaque lunch supplémentaire.

Préparation

1. Préchauffer le four à 375 °F.

2. Dans un petit bol, mélanger l'ail, l'échalote, la sauge, le paprika et la moutarde. Saler et poivrer.

3. Dans un plat allant au four, déposer le poulet et le badigeonner de marinade entre la peau et la chair. Utiliser vos mains pour vous assurer d'en mettre partout. Ajouter les pommes de terre et l'oignon autour du poulet. Saler et poivrer.

4. Enfourner et cuire de 45 minutes à 1 heure, ou jusqu'à ce qu'un thermomètre à cuisson piqué au centre indique 80 °C. Attention de ne pas toucher à un os lorsque vous prenez la température.

5. Sortir du four, découper au goût et servir dans une assiette avec les légumes cuits à côté.

Note : Pour vous donner une idée de la cuisson, les cuisses se détachent habituellement de la poitrine lorsque le poulet

atteint plus de 80 °C. Le poulet entier est parfaitement cuit vers les 74 °C. Aussi, durant la cuisson, vous pouvez, avec une poire à jus ou une cuillère, arroser le poulet de son jus de cuisson. Vous pouvez aussi retourner le poulet avec des pinces pour le dorer de manière plus égale.

Préparation pour le lunch : réserver les pommes de terre. Effilocher le poulet et réserver au froid.

 # Salade de pommes de terre crémeuse au bacon

1 portion

Ingrédients

1 ½ **tasse de pommes de terre, cuites**

2 c. à soupe de crème sure

2 c. à soupe de mayonnaise

1 c. à soupe de ciboulette

1 œuf, cuit dur

5 tranches de bacon, émiettées (facultatif)

Sel et poivre du moulin

Préparation

1. Dans un petit bol, mélanger la crème sure avec la mayonnaise et la ciboulette. Saler et poivrer.

2. Ajouter la sauce aux pommes de terre et mélanger.

3. Sur une planche à découper, trancher l'œuf en morceaux, puis l'ajouter au mélange. Garnir avec le bacon.

Note : Vous pouvez remplacer la ciboulette par un oignon vert coupé en fines rondelles. Vous pouvez rehausser la qualité de votre plat en ajoutant un filet d'huile de truffe. Cette recette est meilleure si elle est réfrigérée au moins 8 heures avant sa consommation.

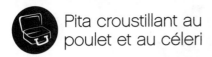

Pita croustillant au poulet et au céleri

2 portions

Ingrédients

¾ de tasse de poulet cuit

1 branche de céleri, coupée en cubes de 1 cm

1 pincée d'ail, haché

1 soupçon de moutarde de Dijon

3 c. à soupe de yogourt nature

1 radis rose, coupé en petits dés

1 c. à thé d'échalote grise, hachée

1 c. à soupe de concombre, coupé en fines tranches

1 c. à soupe de poivron rouge, coupé en fines tranches

1 pita

Sel et poivre au goût

Préparation

1. Sur une planche à découper, couper grossièrement le poulet en cubes.

2. Dans un grand bol, mélanger tous les ingrédients, sauf le pita. Saler et poivrer, puis farcir le pita.

   Note : Si vous n'avez pas de yogourt nature, vous pouvez le remplacer par de la mayonnaise.

Poulet en salade d'orzo tropicale

1 portion

Ingrédients

1 tasse de poulet, cuit

¾ de tasse d'orzo, cuit

2 c. à soupe d'ananas, coupé en petits cubes

1 c. à soupe d'échalote verte (oignon vert)

3 feuilles de basilic thaï, hachées

Le zeste d'une lime

3 c. à soupe de mayonnaise

¼ de c. à thé de gingembre frais, haché

Sel et poivre du moulin

Préparation

1. Dans un saladier, mélanger tous les ingrédients ensemble. Servir très froid.

   Note : Vous pouvez remplacer le basilic par de la menthe citronnée ou tout simplement par de la coriandre. On trouve le basilic thaï dans les épiceries asiatiques.

NOTES

_____

_____

_____

_____

_____

_____

_____

_____

Doigts de poulet sans chapelure

Ingrédients

2 **poitrines de poulet** crues, coupées en lanières de 2 cm de large environ

¼ de c. à thé de **paprika**

½ c. à soupe de **sauce soya**

Flocons de maïs non sucrés (de type Corn Flakes)

1 **œuf**, battu

Un peu de **farine**

Poivre du moulin

Prévoir 3-4 doigts de poulet pour chaque lunch supplémentaire.

Préparation

1. Préchauffer le four à 350 °F. Chemiser une plaque à cuisson de papier parchemin.

2. Saler et poivrer les lanières de poulet en les mélangeant avec le paprika, le poivre et la sauce soya.

3. Écraser grossièrement les céréales pour mieux enrober les lanières. Dans trois bols différents, déposer l'œuf battu, la farine et les céréales émiettées.

4. Tremper les lanières de poulet dans la farine et tapoter pour enlever l'excédent. Les tremper dans l'œuf, puis dans les céréales.

5. Déposer le poulet sur la plaque. Enfourner et cuire 15 à 20 minutes, ou jusqu'à ce que le poulet soit entièrement cuit.

6. Ce plat est excellent avec de la salade de chou, du riz pilaf ou une pomme de terre au four.

Préparation pour le lunch : réfrigérer les doigts de poulet cuits.

Sandwich de doigts de poulet à l'avocat

1 portion

Ingrédients

3-4 doigts de poulet, cuits

2 tranches de pain aux grains entiers de votre choix

1 c. à soupe de crème sure

Quelques pousses de moutarde (ou autres pousses de votre choix)

1 avocat, tranché finement

Sel et poivre du moulin

Préparation

1. Déposer les tranches de pain sur un plan de travail et tartiner de crème sure.

2. Garnir avec les pousses et les tranches d'avocat. Saler et poivrer, puis ajouter les doigts de poulet.

3. Refermer le sandwich et déguster.

Note : Si vous désirez préparer ce sandwich à l'avance, asperger les tranches d'avocat de jus de lime ou de jus de citron.

NOTES

Croûtons à la tapenade et aux doigts de poulet

1 portion

Ingrédients

3-4 doigts de poulet

⅓ de baguette

Environ 20 olives Kalamata

Un peu d'huile d'olive

Sel et poivre du moulin

Préparation

1. Préchauffer le four à 350 °F. Chemiser de papier parchemin une plaque allant au four.

2. Trancher les doigts de poulet en deux. Trancher la baguette en biseau, en tranches d'un demi-centimètre d'épaisseur.

3. Déposer les tranches de baguette sur la plaque et arroser d'un filet d'huile d'olive, puis saler et poivrer. Enfourner. Cuire jusqu'à ce que les croûtons deviennent dorés. Réchauffer par la même occasion les doigts de poulet sur une plaque recouverte de papier parchemin. Réserver.

4. Dans le robot-mélangeur, mixer les olives avec un peu d'huile d'olive de façon à former une pâte plus ou moins uniforme. Vous pouvez aussi les hacher au couteau.

5. Garnir les croûtons maison de la tapenade et coiffer avec les morceaux de doigts de poulet.

Note : Ce petit dîner léger peut aussi servir de bouchée lors d'un apéro convivial avec votre famille ou vos collègues de travail.

NOTES

Poitrine de poulet en sauté de légumes asiatiques

Ingrédients

1 **poitrine de poulet**, coupée en cubes

¼ de bâton de **citronnelle**

¼ de tasse **bok choy**, émincés

¼ de tasse de **chou nappa**, émincé

¼ de tasse d'**oignon rouge**, émincé

¼ de tasse de **daikon**, émincé

½ tasse de **fèves germées**

¼ de tasse de **pois mange-tout**

1 gousse d'**ail**, hachée

2 c. à soupe de **vinaigre de riz**

2 c. à soupe de **sauce hoisin**

Un peu d'**huile d'arachide**

Un peu d'**huile de sésame**

Sel et **poivre** du moulin

➕ Prévoir 1-2 poitrines de poulet cuites de plus pour chaque lunch supplémentaire.

Préparation

1. Dans un wok préchauffé à feu moyen-vif, verser l'huile d'arachide et ajouter la citronnelle entière. Sauter le poulet et cuire environ 3 minutes, jusqu'à ce qu'il perde sa couleur rosée.

2. Ajouter les légumes ainsi que l'ail. Cuire jusqu'à ce que les légumes soient tendres, mais encore fermes, soit 5 à 10 minutes.

3. Verser le vinaigre de riz dans le wok et bien gratter le fond avec une cuillère de bois pour décoller les sucs de cuisson. Ajouter la sauce hoisin et l'huile de sésame.

4. Servir le sauté dans un bol creux.

Préparation pour le lunch : réserver les restes au réfrigérateur.

Chop suey
2 versions en 1

2-3 portions

Ingrédients

Environ 2 tasses de sauté de poulet et de légumes à l'asiatique

½ **tasse de sauce soya**

Le jus d'une lime

2 c. à soupe de miel

4 c. à soupe d'huile d'arachide

Quelques minimaïs, cuits

Préparation

Version 1

1. Dans un petit bol, fouetter la sauce soya, le jus de lime et le miel, puis ajouter l'huile en filet.

2. Réchauffer le sauté au wok, en le faisant revenir dans un peu d'huile chauffée à feu moyen-vif. Ajouter les minimaïs et les fèves germées, et touiller rapidement pour réchauffer.

3. Incorporer la sauce et bien mélanger. Servir immédiatement.

   Note : Cette version est une version plus légère du chop suey traditionnel, à la limite de la salade chaude.

Version 2

1. Suivre les instructions de la recette précédente mais, au moment d'incorporer les fèves germées, ajouter une demi-tasse de bouillon de poulet dans lequel vous aurez dilué une demi-cuillère à soupe de fécule de maïs.

   Note : Il est possible de personnaliser la recette en ajoutant des noix de cajou ou des noix de pin et même des champignons shiitake ou enoki.

Poitrines de poulet et sauce BBQ maison

Ingrédients

4 **poitrines de poulet**, avec peau

¼ de tasse de **ketchup**

2 gousses d'**ail**, hachées

3 c. à soupe de **sirop d'érable**

3 c. à soupe de **sauce soya**

1 c. à soupe de **cassonade**

Quelques gouttes de **sauce Worcestershire**

½ c. à thé de **vinaigre**

Poivre du moulin

 Prévoir ½ poitrine pour chaque lunch supplémentaire.

Préparation

1. Mélanger le ketchup avec l'ail, le sirop d'érable, la sauce soya, la cassonade, la sauce Worcestershire et le vinaigre. Poivrer au goût.

2. Verser le mélange dans un grand plat ou un sac refermable et ajouter les poitrines de poulet. Mariner le poulet de 3 à 4 heures ou plus, au goût.

3. Préchauffer le barbecue à chaleur moyenne. Griller le poulet directement sur la grille jusqu'à cuisson complète, c'est-à-dire environ 10 minutes d'un côté, puis de 5 à 6 minutes de l'autre.

Note : Pour faire un beau marquage comme au restaurant, attendre que le barbecue soit très chaud et déposer vos poitrines sur la grille. Cuire sans les toucher durant la moitié du temps de cuisson, puis faites pivoter de 90 °. Vous obtiendrez un beau quadrillage.

❄ ❄ ❄

Préparation pour le lunch : couper grossièrement le poulet et réserver au réfrigérateur.

Ingrédients

2-4 portions

½ **tasse de poitrine de poulet BBQ, en morceaux**

1 croûte à pizza de votre choix, maison ou du commerce

1 petite boîte de conserve de sauce à pizza

5 champignons de Paris, tranchés finement

1 poivron vert, coupé en lanières

Quelques tomates séchées, grossièrement hachées

1 tasse de mozzarella, râpée, ou une boule de mozzarella fraîche, tranchée

Préparation

1. Préchauffer le four selon les indications de l'emballage de la croûte à pizza ou selon votre procédure habituelle.

2. Recouvrir la pâte de sauce, puis déposer les champignons, les poivrons verts et le poulet. Parsemer de fromage râpé.

3. Cuire jusqu'à ce que la croûte soit croustillante et le fromage, doré à votre goût.

❄ ❄ ❄

Ce lunch peut être congelé.

NOTES

Cuisses de poulet au cognac et ses fusilli à la crème

Ingrédients

4 **cuisses de poulet**, sans la peau

3 oz de **cognac**

1 **échalote**, émincée

½ tasse de **crème à cuisson 35 %**

1 tasse de **bouillon de poulet**

4 feuilles de **sauge**

2 tasses de **fusilli**

Un peu d'**huile**

Sel et **poivre** du moulin

➕ Prévoir 1 tasse de fusilli cuits pour chaque lunch supplémentaire.

Préparation

1. Chauffer une poêle allant au four à feu moyen-vif et y verser un peu d'huile. Colorer les cuisses de poulet jusqu'à ce qu'elles soient bien dorées de chaque côté.

2. Verser le cognac dans la poêle et gratter soigneusement le fond avec une cuillère de bois pour décoller les sucs de cuisson. Ajouter l'échalote et cuire en remuant deux 2 minutes, ou jusqu'à ce qu'elle soit translucide.

3. Ajouter la crème et le bouillon de poulet. Saler et poivrer. Couvrir la poêle de papier d'aluminium et enfourner. Cuire de 35 à 40 minutes, ou jusqu'à ce que les cuisses soient cuites. Retirer du plat et réserver.

4. Remettre la poêle sur un feu moyen et réduire le liquide jusqu'à l'obtention d'une sauce suffisamment consistante pour napper le dos d'une cuillère.

5. Pendant ce temps, porter à ébullition une grande casserole d'eau salée et cuire les fusilli jusqu'à ce qu'ils soient *al dente*. Verser la sauce sur les pâtes et bien mélanger.

6. Dresser les assiettes en déposant dans chacune d'elles une portion de pâtes en sauce. Garnir avec une cuisse de poulet au cognac.

Note : Vous pouvez aussi utiliser n'importe quelle pâte courte de votre choix : tortiglioni, gemelli, cavatappi, rotini, etc.

Préparation pour le lunch : réserver les fusilli cuits nature.

 ## Fusilli au fromage

Ingrédients

2 tasses de fusilli, cuits

1 échalote, hachée

1 c. à soupe de beurre

1 c. à soupe de farine

1 tasse de lait

Une pincée de muscade

¼ de tasse d'emmental, râpé

¼ de tasse de gruyère, râpé

Une poignée d'amour (parmesan ou autre fromage à pâte dure qui traîne dans votre réfrigérateur, râpé)

Sel et poivre de Cayenne au goût

J'ai une préférence pour le fromage Emmental, de la fromagerie L'Ancêtre, et pour le gruyère de chèvre L'Archange, de la fromagerie de l'Abbaye de St-Benoît-du-Lac.

Préparation

1. Dans une petite casserole chauffée à feu moyen, faire fondre le beurre jusqu'à ce qu'il soit mousseux. Ajouter l'échalote et cuire en remuant jusqu'à ce qu'elle soit translucide.

2. Incorporer la farine et cuire jusqu'à ce qu'elle pâlisse et forme un mélange lisse (un roux), environ 5 minutes. Verser le lait sur le mélange en fouettant constamment, puis assaisonner avec le sel, le poivre et la muscade.

3. Chauffer à feu moyen en remuant jusqu'à ce que de petites bulles apparaissent à la surface de la béchamel et que celle-ci ait considérablement épaissi. Ajouter l'emmental et le gruyère, ainsi que les petits bouts de fromage que vous trouverez dans votre réfrigérateur et fouetter à la fourchette pour bien les faire fondre.

4. Incorporer les pâtes dans le mélange et touiller jusqu'à ce qu'elles soient chaudes. Servir aussitôt.

Note : Pour plus de protéines, vous pouvez ajouter du jambon cuit, du poulet effiloché ou du bacon émietté. N'hésitez pas à varier les fromages selon vos goûts.

NOTES

Poulet mariné au citron et son pilaf d'orge

Ingrédients

4 **poitrines de poulet**

Le jus de 2 **citrons**

Le zeste de 1 **citron**

1 c. à thé de **thym frais**

¼ de c. à thé de **moutarde en poudre**

¼ de tasse d'**huile végétale**

1 c. à soupe de **vinaigre balsamique blanc**

3 c. à soupe de **miel**

1 **oignon**, émincé

1 gousse d'**ail**, écrasée

2 c. à soupe de **beurre**

1 petit **oignon**, haché

1 tasse d'**orge**

1 feuille de **laurier**

1 ½ tasse de **bouillon de poulet** ou de légumes

Sel et **poivre** du moulin

+ Prévoir 1 tasse de poulet cuit pour chaque lunch supplémentaire.

Préparation

1. Mélanger le jus de citron, le zeste, le thym, la moutarde, l'huile, le vinaigre balsamique, le miel, l'ail et l'oignon émincé. Verser dans un plat ou un sac refermable et ajouter le poulet. Mariner le poulet de 3 à 4 heures ou plus, au goût.

2. Lorsque vous êtes prêt à commencer votre souper, sortir le poulet du réfrigérateur et laisser tempérer un peu. Préchauffer le four à 350 °F.

3. Dans une casserole allant au four, faire fondre le beurre à feu moyen. Ajouter l'oignon haché, puis cuire 5 minutes. Ajouter l'orge et faire revenir 1 à 2 minutes en remuant sans cesse. Saler, poivrer et ajouter la feuille de laurier.

4. Mouiller avec le bouillon et enfourner. Cuire à couvert environ 40 minutes. Assurez-vous à l'occasion qu'il y a assez de liquide dans le plat.

5. Pendant ce temps, colorer le poulet dans une poêle allant au four préchauffée à feu moyen-vif. Recouvrir le poulet de papier d'aluminium et poursuivre la cuisson au four environ 20 minutes.

6. Servir le poulet au citron avec le pilaf d'orge. Ce plat s'accompagne très bien de légumes cuits à la vapeur.

Note : Si vous avez quelques restants de légumes qui traînent dans votre réfrigérateur, le pilaf d'orge est une bonne façon de les utiliser. Couper tout morceau égaré de carotte, d'oignon, de poireau ou de céleri en petits cubes et ajouter à l'orge en même temps que le bouillon.

———— ❄ ❄ ❄ ————

Préparation pour le lunch : couper le poulet cru en cubes et réfrigérer l'orge.

NOTES

_____

_____

_____

_____

_____

_____

_____

_____

_____

_____

_____

_____

_____

_____

_____

_____

Vol-au-vent de poulet fabuleux

2-3 portions

Ingrédients

1 tasse de poulet cuit, en cubes

2 branches de céleri, coupées en dés

2 carottes, coupées en dés

1 oignon, haché

1 branche de thym, effeuillée

½ tasse de petits pois, surgelés

2 c. à soupe de vin blanc

1 c. à soupe de farine

1 tasse de lait

2 c. à soupe de **crème à cuisson 35 %**

1 c. à soupe de beurre

Persil plat, haché

Un peu de beurre

Sel et poivre du moulin

1 timbale de pâte feuilletée (vol-au-vent) par personne

Préparation

1. Dans une poêle chauffée à feu moyen, faire fondre un peu de beurre et réchauffer le poulet avec le céleri, les carottes et l'oignon environ 10 minutes. Ajouter le thym et les petits pois, puis saler et poivrer.

2. Déglacer avec le vin blanc et bien râcler le fond de la casserole pour décoller les sucs de cuisson. Ajouter la farine et cuire en brassant sans cesse encore 3 minutes.

3. Verser le lait et laisser mijoter jusqu'à épaississement de la sauce. Lier avec la crème et garnir de persil haché.

4. Faire chauffer le vol-au-vent selon les indications du fabricant et garnir avec la sauce au poulet.

Note : Cette recette peut aussi être servie sur des pâtes ou dans une croûte à tarte, pour la transformer en pâté au poulet.

NOTES

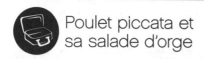

Poulet piccata et sa salade d'orge

1 portion

Ingrédients

1-2 escalopes de poulet, cuites

Le jus d'un citron

1-2 c. à soupe de vin blanc

1 c. à thé de câpres, grossièrement hachées

1 c. à soupe de beurre

2 c. à soupe de persil, haché

¼ de tasse de mayonnaise

4 feuilles de basilic, coupées en chiffonnade

2 c. à soupe de crème 35 %

2 c. à soupe d'huile d'olive

1 tasse d'orge, cuite

¼ de tasse de champignons de Paris, tranchés

Un peu de beurre

Sel et poivre du moulin

Préparation

1. Dans une poêle préchauffée à feu moyen-vif, faire fondre un peu de beurre et colorer les escalopes de poulet de chaque côté. Baisser le feu, couvrir et cuire jusqu'à ce que la viande soit complètement cuite (environ 8 minutes, selon l'épaisseur du poulet). Saler et poivrer.

2. Verser le jus de citron et le vin blanc dans la poêle et râcler le fond avec une cuillère de bois pour bien décoller les sucs de cuisson. Ajouter les câpres et retirer la poêle du feu. Hors du feu, ajouter le beurre et fouetter pour monter la sauce à la piccata. Finaliser avec le persil haché.

3. Pendant ce temps, dans un petit bol, mélanger la mayonnaise avec le basilic et la crème. Saler et poivrer, puis ajouter l'huile d'olive en filet.

4. Déposer l'orge dans un saladier et ajouter les champignons. Verser la sauce sur le tout, puis touiller pour mélanger. Réserver.

5. Servir le poulet sur la salade d'orge froide.

❄ ❄ ❄

Ce lunch peut être congelé.

NOTES

_____

_____

_____

_____

_____

_____

_____

_____

_____

_____

_____

_____

_____

_____

_____

_____

_____

_____

_____

_____

×1 **×1-2**

Poitrine de poulet farcie au poireau et au prosciutto

Ingrédients

- 1 **poitrine de poulet**
- 1 **blanc de poireau**, émincé
- 1 tranche de **prosciutto**
- Quelques **tomates séchées**, grossièrement hachées
- Une branche de **thym**, effeuillée
- Un peu de **beurre**
- **Sel** et **poivre** du moulin

 Prévoir 2 tasses de poireau pour chaque lunch supplémentaire.

Préparation

1. Préchauffer le four à 350 °F.

2. Dans une poêle préchauffée à feu doux, faire fondre le beurre et y faire suer le poireau doucement, jusqu'à ce qu'il devienne translucide, environ 5 à 6 minutes. Réserver.

3. Avec la pointe d'un couteau, faire une incision dans la poitrine de poulet (dans l'épaisseur) pour l'ouvrir en portefeuille.

4. Saler et poivrer l'intérieur et l'extérieur du poulet, puis farcir avec la tranche de prosciutto, le poireau et les tomates séchées. Refermer et ficeler avec de la ficelle à rôti. Vous pouvez aussi fermer l'ouverture avec un cure-dent.

5. Mettre un peu de beurre dans une poêle allant au four chauffée à feu moyen-vif et y colorer le poulet de chaque côté, jusqu'à ce qu'il soit bien doré de tous les côtés.

6. Enfourner et cuire de 10 à 12 minutes, ou jusqu'à ce que le poulet soit complètement cuit.

Note: Avec de la farce, les viandes cuisent moins rapidement. Assurez-vous de bien vérifier la cuisson du poulet avant de le servir. Ce plat est très polyvalent: il peut être servi avec vos accompagnements habituels. Vous pouvez aussi ajouter le fromage de votre choix à la farce.

Préparation pour le lunch : émincer le poireau et réserver.

 ## Crème de poireaux super simple

1-2 portions

Ingrédients

2 tasses de poireau, émincé
1 ½ tasse de bouillon de légume, ou un peu plus, au besoin
¼ de tasse de crème
1 c. à thé de basilic frais
Un peu de beurre
Sel et poivre du moulin

Préparation

1. Dans une petite casserole chauffée à feu doux, faire fondre un peu de beurre et y faire suer le poireau à couvert environ 15 minutes. Saler et poivrer.

2. Verser le bouillon et couvrir le poireau à hauteur. Porter à ébullition, puis réduire le feu. Laisser mijoter 15 minutes.

3. Lorsque la soupe est prête, la mixer au moyen d'un mélangeur ou d'un robot culinaire. Remettre la soupe dans le chaudron et ajouter la crème. Réchauffer doucement jusqu'à la température désirée.

4. Servir et garnir de basilic émincé.

Ce lunch peut être congelé.

Filets de poulet panés au panko

Ingrédients

2 **poitrines de poulet**, tranchées en lanières épaisses

1 tasse de **farine**

1 **œuf**, battu

1 tasse de **panko**

1 filet d'**huile d'olive**

¼ de c. à thé d'**origan** séché

Sel et **poivre** du moulin

➕ Prévoir 2-3 filets de poulet pour chaque lunch supplémentaire.

Préparation

1. Préchauffer le four à 375 °F. Chemiser une plaque à cuisson de papier parchemin et réserver.

2. Dans trois bols séparés, disposer la farine, l'œuf et le panko. Fariner légèrement les filets, puis les tapoter pour enlever l'excédent de farine. Tremper les filets dans l'œuf, puis dans le panko. Déposer les filets sur la plaque à cuisson et arroser d'un filet d'huile d'olive.

3. Enfourner et cuire environ 10 minutes. Retourner les filets et poursuivre la cuisson jusqu'à ce qu'ils soient complètement cuits, environ 5 autres minutes.

4. Vous pouvez servir ces filets avec du riz basmati ou avec des frites maison.

Préparation pour le lunch : *réserver les filets de poulet cuits au réfrigérateur.*

Salade printanière de légumes croquants au poulet

1 portion

Ingrédients

2-3 filets de poulet au panko

3 c. à soupe de moutarde de Dijon

1 c. à soupe de sirop d'érable

2 c. à soupe de vinaigre balsamique

¼ de tasse d'huile d'olive

2 tasses du mélange de laitue de votre choix (printanier, mesclun, etc.)

1 poivron rouge, tranché en fines lanières

2 bâtonnets de cœurs de palmier, tranchés en fines rondelles

2 tomates Tom-Blaka ou quelques petites tomates, coupées en bouchées

Sel et poivre du moulin

Préparation

1. Préchauffer le four à 400 °F et y réchauffer les filets de poulet au panko.

2. Fouetter la moutarde de Dijon avec le sirop d'érable et le vinaigre balsamique, puis ajouter l'huile d'olive en filet. Vous aurez suffisamment de vinaigrette pour plus d'une portion de salade.

3. Dans un saladier, déposer le mesclun, le poivron, les tomates, le poulet et les cœurs de palmier. Saler et poivrer la salade, puis verser la vinaigrette sur celle-ci.

4. Servir immédiatement.

Tournedos de poulet faits par vous-même

Ingrédients

4 poitrines de poulet

4 tranches de **bacon**

Sel et **poivre** du moulin

+ Prévoir 2 tournedos de plus et 5-6 tranches de bacon pour chaque lunch supplémentaire.

Préparation

1. Préchauffer le four à 350 °F ou le barbecue à feu moyen.

2. Parer la poitrine de poulet en coupant les pointes de manière à obtenir une forme à mi-chemin entre le cercle et le carré. Réserver les morceaux enlevés et faire cuire en même temps que les tournedos pour le lendemain.

3. Déposer le bacon dans une assiette doublée de papier absorbant et cuire 1 minute au micro-ondes. Ici, nous cherchons simplement à précuire le bacon : il est normal qu'il ait l'air presque cru au sortir du micro-ondes.

4. Saler et poivrer le poulet, puis barder la viande en enroulant la tranche de bacon autour. Pour maintenir le bacon en place, vous pouvez piquer le tournedos avec un cure-dent ou le ficeler avec de la ficelle à rôti.

5. Si vous choisissez la cuisson au four, déposer le tournedos sur une plaque à cuisson chemisée de papier parchemin (n'oubliez pas d'ajouter les morceaux laissés de côté pour la confection du tournedos) et cuire de 15 à 20 minutes, jusqu'à ce que la viande soit complètement cuite.

6. Si vous faites la cuisson sur le barbecue, griller environ 8 minutes d'un côté (n'oubliez pas l'astuce pour obtenir de belles marques de cuisson) et retourner. Cuire de 5 à 7 minutes, jusqu'à ce que la viande soit complètement cuite.

Note : Pour une touche de fraîcheur et d'exotisme, vous pouvez servir cette recette avec une sauce vierge à la mangue (voir la recette à la page 168).

Préparation pour le lunch : couper les tournedos restants et les morceaux de poulet déjà cuits en cubes. Réserver au réfrigérateur.

 ## Pâté au poulet à la bière et au bacon

2-3 portions

Ingrédients

2 tournedos de poulet, en cubes

1 oignon, émincé

4 tranches de bacon, coupées en morceaux grossiers

1 branche de thym, effeuillée

¼ de tasse de petits pois

¼ de tasse de céleri, coupé en petits cubes

¼ de tasse de carotte, coupée en petits cubes

2 c. à soupe de bière rousse

1 c. à soupe de farine

1 tasse de bouillon de poulet

1 abaisse et 1 croûte à tarte, maison ou du commerce

1 jaune d'œuf, battu

1 c. à soupe de beurre

Sel et poivre du moulin

Préparation

1. Préchauffer le four à 375 °F ou selon les indications inscrites sur l'emballage de la croûte à tarte.

2. Dans une casserole chauffée à feu moyen, faire fondre le beurre et faire suer l'oignon, le bacon, les feuille de thym, les petits pois, le céleri et la carotte de 10 à 15 minutes, ou jusqu'à ce que l'oignon soit translucide. Déglacer avec la bière et bien râcler le fond avec une cuillère de bois pour décoller les sucs de cuisson. Laisser réduire presque à sec.

3. Ajouter la farine et cuire 1 minute en remuant sans cesse. Verser le bouillon de poulet, puis brasser jusqu'à épaississement de la sauce. Ajouter le poulet cuit pour le réchauffer.

4. Verser ce mélange dans l'abaisse de pâte, puis recouvrir avec la croûte. Faire un trou au centre de la croûte pour permettre à la vapeur de s'échapper.

5. Mélanger le jaune d'œuf battu avec quelques gouttes d'eau et badigeonner la croûte de ce mélange.

6. Enfourner et cuire 45 minutes, ou jusqu'à ce que la pâte soit cuite et dorée.

❄ ❄ ❄

Ce lunch peut être congelé.

NOTES

_____

_____

_____

_____

_____

_____

_____

_____

_____

_____

_____

_____

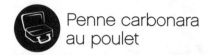

Penne carbonara au poulet

2 portions

Ingrédients

¼ de tasse de poulet cuit, coupé en dés
1 échalote, hachée
1 gousse d'ail, hachée
2 c. à soupe de vin blanc
1 tasse de crème
1 ½ tasse de penne, cuits
1 jaune d'œuf
2-3 tranches de bacon, cuites et émiettées
1 c. à soupe de parmesan râpé
1 c. à soupe de beurre
Sel et poivre du moulin

Préparation

1. Dans une poêle préchauffée à feu doux, faire fondre le beurre et faire suer l'échalote et l'ail jusqu'à ce que l'échalote soit translucide. Déglacer avec le vin blanc et laisser réduire presque à sec.

2. Verser la crème dans la poêle et laisser mijoter. Réduire de moitié, puis saler et poivrer.

3. Incorporer les pâtes et le poulet dans la sauce à la crème et touiller pour réchauffer. Lorsque les pâtes sont chaudes, retirer la poêle du feu et incorporer le jaune d'œuf. Celui-ci donnera une belle texture crémeuse à la sauce, mais il ne doit pas cuire : c'est pourquoi vous devez l'ajouter hors du feu.

4. Servir les pâtes dans des assiettes creuses et garnir avec les miettes de bacon et le parmesan râpé. Poivrer abondamment, comme le veut la tradition.

Tartiflette moins classique

1 portion

Ingrédients

1 pomme de terre en tranches fines (maximum 0,5 cm), cuites

1 échalote, finement hachée

3 tranches de bacon, crues

4 c. à soupe de crème

75 g de fromage à pâte semi-ferme de votre choix, en tranches

Sel et poivre du moulin

J'ai une préférence pour le fromage Le Belle de Jersey, de la fromagerie Les Bergeries du Fjord.

Préparation

1. Préchauffer le four à 350 °F. Beurrer un plat à gratin individuel.

2. Égoutter les pommes de terre. Recouvrir le fond du plat à gratin de tranches de pommes de terre et couvrir avec l'échalote hachée et les tranches de bacon. Terminer avec une couche de pommes de terre. Arroser le tout de crème.

3. Couvrir la tartiflette avec les tranches de fromage et enfourner. Cuire jusqu'à ce que les pommes de terre soient parfaitement cuites, que la crème bouillonne et que le fromage soit doré, environ 15 minutes.

Note : La tartiflette se prépare classiquement avec du reblochon, un fromage au lait cru français. Ici, je vous propose un des équivalents québécois. À vous de faire votre choix.

❄ ❄ ❄

Ce lunch peut être congelé.

NOTES

Casserole de dinde

Ingrédients

2 tasses de **poitrine de dinde** crue, en cubes

1 **oignon**, haché

2 branches de **thym**, effeuillées

1 **carotte**, finement tranchée

1 branche de **céleri**, coupée en petits cubes

1 tête de **brocoli**, défaite en bouquets

2 c. à soupe de **vin blanc**

½ c. à soupe de **farine**

½ c. à soupe de **beurre**

¾ de tasse de **bouillon de poulet**

1 **pomme de terre** cuite, en cubes

½ tasse de **chapelure de pain**

½ gousse d'**ail**, hachée

Un peu de **beurre**

Sel et **poivre** du moulin

+ Prévoir ½ tasse de poitrine de dinde cuite pour chaque lunch supplémentaire.

Préparation

1. Préchauffer le four à 400 °F.

2. Dans une poêle chauffée à feu moyen-vif, faire fondre un peu de beurre et sauter les cubes de dinde et l'oignon jusqu'à ce que la dinde soit bien dorée de chaque côté. Saler et poivrer.

3. Ajouter une des deux branches de thym, la carotte, le céleri ainsi que les petits bouquets de brocoli. Sauter quelques instants, puis déglacer avec le vin blanc. Laisser réduire presque à sec.

4. Ajouter la demi-cuillère à soupe de beurre et la farine. Mélanger jusqu'à ce que le beurre et la farine forment une pâte lisse (1 à 2 minutes), puis verser le bouillon de poulet dans la poêle.

5. Cuire en remuant sans cesse jusqu'à ce que la sauce épaississe. Ajouter les cubes de pommes de terre.

6. Verser la préparation dans un plat allant au four ou dans des plats à gratin individuels.

7. Faire fondre un peu de beurre et mélanger avec la chapelure, les feuilles de la seconde branche de thym et l'ail.

8. Saupoudrer le mélange de chapelure et enfourner. Cuire environ 10 minutes, ou jusqu'à ce que la chapelure soit croustillante et dorée.

9. Ce repas s'accompagne parfaitement d'une salade.

Préparation pour le lunch : réserver au froid le reste de la casserole de dinde.

 ## Feuilleté de dinde

1 portion

Ingrédients

¼ de tasse de casserole de dinde

1 timballe de pâte feuilletée du commerce (de type vol-au-vent)

2 c. à soupe de crème 35 %

Préparation

1. Préchauffer le four selon les indications inscrites sur l'emballage du vol-au-vent. Le faire réchauffer.

2. Pendant ce temps, verser la crème dans une poêle chauffée à feu moyen et ajouter la casserole de dinde. Cuire en remuant jusqu'à ce que le mélange soit chaud.

3. Verser le mélange de dinde dans le vol-au-vent et servir immédiatement.

4. Servir avec les légumes de votre choix, cuits à la vapeur.

Ce lunch peut être congelé.

Trempette de dinde pour crudités et craquelins

2-4 portions

Ingrédients

1 tasse de dinde, cuite

½ tasse de mayonnaise

1 oignon vert, émincé

Sel et poivre du moulin

Préparation

1. Au robot culinaire, mixer la dinde et la mayonnaise jusqu'à l'obtention d'une pâte homogène mais grossière. (Si vous préférez une texture plus lisse, mixer plus longtemps.) Saler et poivrer.

2. Ajouter l'oignon vert et refroidir au moins 4 heures avant de servir.

3. Servir avec des craquelins et des crudités.

NOTES

_____

_____

_____

_____

_____

_____

_____

_____

_____

_____

_____

_____

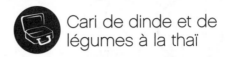

Cari de dinde et de légumes à la thaï

1 portion

Ingrédients

½ tasse de dinde, cuite

1 poivron vert, émincé

1 poivron rouge, émincé

1 oignon rouge, émincé

1 branche de citronnelle

½ boîte de conserve de 355 ml de lait de coco

1-2 c. à soupe de pâte de cari rouge (ou vert)

1 bouquet de coriandre, haché

Une poignée de noix de cajou

1 tasse de riz basmati, cuit

Un peu d'huile

Préparation

1. Dans un wok préchauffé à feu moyen-vif, verser un peu d'huile et sauter les poivrons et l'oignon avec la branche de citronnelle, jusqu'à ce que les légumes soient cuits mais encore fermes (5 minutes).

2. Ajouter la dinde, verser le lait de coco et incorporer la pâte de cari. Baisser le feu et laisser mijoter jusqu'à épaississement, entre 5 et 10 minutes. Retirer la citronnelle.

3. Servir le riz dans un bol creux et ajouter le cari. Garnir avec la coriandre et les noix de cajou.

4. **Variante :** Vous pouvez aussi utiliser des restes de crevettes ou de fruits de mer pour effectuer cette recette !

Note : Regardez bien les ingrédients de votre pâte de cari si vous êtes sujet aux allergies alimentaires. Certaines compagnies préparent leur cari rouge avec de la pâte de crevettes.

Roulade de dinde aux champignons et aux asperges

Ingrédients

1 petite **poitrine de dinde**

1 tasse de **champignons shitake**, tranchés

4-5 minces tranches de **fromage à pâte semi-ferme**

5-6 **asperges** blanchies, coupées en tronçons

1 **échalote**, hachée

1 c. à thé de **pâte de tomate**

2 c. à soupe de **cidre de pomme**

½ tasse de **fond de volaille**

¼ de tasse de **crème à cuisson 35 %**

Un peu de **beurre**

Sel et **poivre** du moulin

 Prévoir 150 g de dinde pour chaque lunch supplémentaire.

> *J'ai une préférence pour le fromage La Tomme de Monsieur Séguin, de la Fromagerie Fritz Kaiser.*

Préparation

1. Déposer la poitrine de dinde sur un plan de travail avec la pointe face à vous.

2. Avec la pointe d'un couteau, faire une incision à environ 1 cm dans l'épaisseur de la poitrine et trancher sur toute la longueur, sans détacher les deux sections de viande. Ouvrir en portefeuille. Vous aurez alors un côté épais et un côté mince. Répéter la même opération à l'intérieur du côté épais et ouvrir en portefeuille à nouveau, de manière à ce que la viande soit complètement étalée sur le plan de travail, mais toujours attachée. Saler et poivrer.

3. Dans une poêle chauffée à feu moyen, faire fondre le beurre et cuire jusqu'à ce qu'il prenne une couleur noisette, environ 5 minutes. Sauter les champignons dans ce beurre jusqu'à ce qu'ils soient bien dorés. Réserver.

4. Couvrir la dinde avec le fromage et garnir avec les champignons et les tronçons d'asperge. Rouler la dinde et ficeler solidement avec de la ficelle à rôti.

5. Dans une poêle préchauffée à feu moyen-vif, verser un peu d'huile et colorer le rôti de dinde de chaque côté, jusqu'à ce qu'il soit complètement doré. Déposer dans un plat allant au four, enfourner et cuire à 350 °F environ 2 heures. Retirer du four et couvrir. Réserver.

6. Pendant ce temps, dans une poêle préchauffée à feu moyen-vif, faire fondre un peu de beurre et faire suer l'échalote jusqu'à ce qu'elle soit translucide, environ 5 minutes. Ajouter la pâte de tomate et cuire 1 minute supplémentaire. Déglacer la poêle avec le cidre de pomme et réduire presque à sec.

7. Ajouter la crème, puis le fond de volaille et laisser mijoter à feu moyen jusqu'à ce que la sauce ait la consistance nécessaire pour napper le dos d'une cuillère.

8. Au moment du service, trancher le rôti de dinde et servir sur une purée de pommes de terre avec la sauce et les légumes de votre choix.

❄ ❄ ❄

Préparation pour le lunch : réserver les restants de rôti de dinde au froid.

NOTES

_____

_____

_____

_____

_____

_____

_____

_____

_____

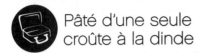

Pâté d'une seule croûte à la dinde

1 portion

Ingrédients

1 médaillon de rôti de dinde, coupé en quatre

½ tasse de sauce pour rôti de dinde

Quelques asperges blanchies, coupées en tronçons

1 pomme de terre cuite, coupée en dés

1 abaisse de pâte feuilletée, maison ou du commerce

Poivre du moulin

Préparation

1. Préchauffer le four selon les indications inscrites sur l'emballage de la pâte feuilletée, ou selon votre procédure habituelle.

2. Verser la sauce dans une petite casserole et chauffer à feu moyen. Ajouter la dinde, les asperges et les pommes de terre, et cuire jusqu'à ce que tous les ingrédients soient chauds.

3. Verser le mélange de dinde dans un plat à gratin individuel et couvrir avec la pâte feuilletée. Nul besoin de couper le pourtour de la pâte. Laissez-la dépasser : cela donnera un aspect plus rustique.

4. Enfourner et cuire selon les indications du fabricant, jusqu'à ce que la pâte soit gonflée et dorée.

5. Servir accompagné d'une salade.

Ce lunch peut être congelé.

Sandwich de dinde au concombre et aux tomates

1 portion

Ingrédients

1 médaillon de rôti de dinde, effiloché grossièrement

3 c. à soupe de yogourt

3 c. à soupe de fenouil, finement haché

¼ de c. à thé de cari

Quelques feuilles de coriandre, hachées

2 tranches de pain aux graines de citrouille (ou autre pain de votre choix)

4 tranches de concombre

2 tranches de tomate

Sel et poivre du moulin

Préparation

1. Dans un petit bol, mélanger le yogourt avec le fenouil, le cari et la coriandre. Saler et poivrer au goût.

2. Déposer les tranches de pain sur un plan de travail et tartiner avec le mélange de yogourt. Monter le sandwich en empilant la dinde effilochée, le concombre et les tomates. Refermer le sandwich et déguster.

NOTES

_____

_____

_____

_____

_____

_____

_____

Croquettes de dinde savoureuses

Ingrédients

2 portions

3-4 médaillons de dinde cuits, grossièrement hachés au couteau

1 oignon rouge, haché

1 c. à thé de sariette

¼ de c. à thé de graines de moutarde moulues (au mortier ou au moulin à café)

¼ de c. à thé de muscade

¾ de tasse de purée de pommes de terre

Farine

1 œuf, battu

Chapelure de pain

Un peu de beurre

Préparation

1. Dans une poêle chauffée à feu moyen, faire fondre un peu de beurre et faire suer l'oignon avec les épices jusqu'à ce que l'oignon soit translucide.

2. Ajouter la purée de pommes de terre pour la réchauffer un peu et incorporer la dinde. Si le mélange ne semble pas assez ferme pour former des croquettes solides, ajouter un œuf battu et un peu de chapelure pour bien le lier.

3. Avec vos mains mouillées, former des croquettes de la grosseur de votre choix.

4. Mettre la farine, l'œuf battu et la chapelure dans trois bols séparés. Fariner les croquettes, puis les tapoter pour enlever l'excédent de farine. Tremper les croquettes dans l'œuf, puis les passer dans la chapelure de pain. Répéter au besoin.

5. Dans une poêle préchauffée à feu moyen-vif, verser un peu d'huile et faire frire les croquettes de chaque côté, jusqu'à ce que la chapelure soit dorée et croustillante.

6. **Variante :** Vous pouvez aussi faire cuire les croquettes au four à 400 °F, jusqu'à ce que la chapelure soit croustillante et que les croquettes soient chaudes au centre. Arroser d'un filet d'huile d'olive pour une texture bien craquante.

Note : Vous pouvez préparer des croquettes avec n'importe quel ingrédient que vous trouverez. Cette recette est intéressante pour gonfler les petits restants insuffisants pour le nombre de bouches à nourrir. Pour vous dépanner, vous pouvez toujours écraser des craquelins pour créer votre propre « chapelure ». Servir avec de la salade ou des légumes cuits à la vapeur.

❄ ❄❄ ❄

Ce lunch peut être congelé.

NOTES

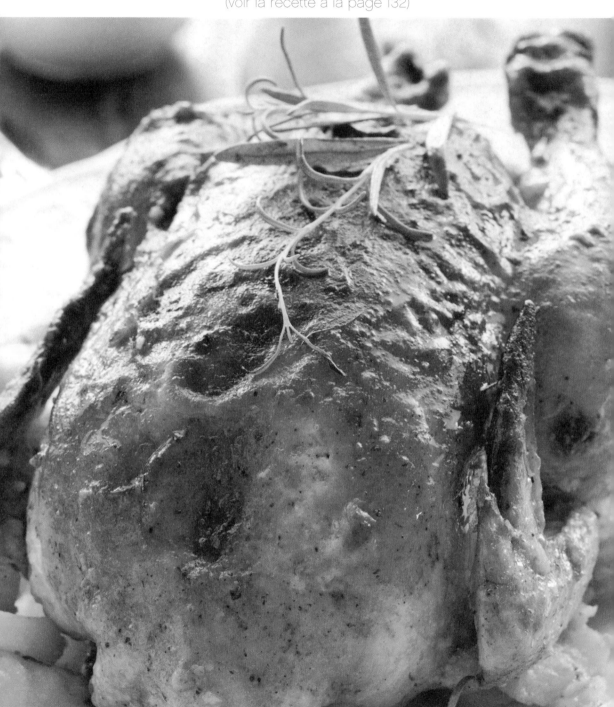

Cuisse de poulet farcie aux abricots et aux noix

Ingrédients

- 1 **cuisse de poulet**, désossée
- 4 **abricots séchés**, coupés en petits dés
- 1 c. à thé de **canneberges séchées**
- 2 c. à soupe de **pistaches**, grossièrement hachées
- **Sel** et **poivre** du moulin

✚ Prévoir 1 cuisse de poulet de plus pour chaque lunch supplémentaire.

Préparation

1. Préchauffer le four à 350 °F. Chemiser de papier parchemin une plaque à cuisson allant au four.

2. Déposer les abricots et les canneberges séchés dans un petit plat et les recouvrir d'eau bouillante. Laisser réhydrater jusqu'à leur utilisation.

3. Avec la pointe d'un couteau bien aiguisé, faire une incision dans la cuisse de poulet désossée sans la traverser complètement. Saler et poivrer la cavité à l'intérieur de la cuisse de poulet.

4. Égoutter les abricots et les canneberges, et mélanger avec les pistaches grossièrement hachées. Farcir les cuisses de poulet de ce mélange.

5. Déposer la viande sur la plaque à cuisson. Enfourner et cuire environ 20 minutes, ou jusqu'à ce que la viande soit cuite.

Préparation pour le lunch : *détacher le poulet de l'os et réserver au froid.*

Cuisse de poulet croustillante à la semoule de maïs

1 portion

Ingrédients

| 1 cuisse de poulet, cuite |
| 1 de c. à thé de paprika |
| ¼ c. à thé de thym |
| ½ c. à thé de poivre de Cayenne |
| 1 c. à soupe de farine |
| ¼ de tasse de semoule de maïs (polenta) |
| Sel et poivre du moulin |
| Un peu de beurre et d'huile |

Préparation

1. Préchauffer le four à 350 °F.

2. Dans un sac refermable (de type Ziploc), mélanger le paprika, le thym, le poivre de Cayenne, la farine et la semoule de maïs.

3. Saler et poivrer la cuisse de poulet, puis la déposer dans le sac. Refermer et remuer énergiquement.

4. Dans une poêle allant au four préchauffée à feu moyen-vif, verser un peu d'huile (ou un mélange d'huile et de beurre) et cuire le poulet jusqu'à ce que l'enrobage de semoule soit croustillant.

5. Enfourner et cuire environ 10 minutes, ou jusqu'à ce que la cuisse soit chaude et croustillante.

6. Cette recette s'accompagne bien d'une purée de navet et de pommes de terre, et de légumes verts sautés au beurre.

Ce lunch peut être congelé.

Fajita facile

Ingrédients

2 portions

½ tasse de viande de cuisse de poulet, cuite et désossée

1 poivron rouge, tranché en fines lanières

Quelques fines tranches d'oignon rouge

Quelques fines tranches de piment fort (facultatif)

¼ de c. à thé de cumin moulu

1 grande tortilla de blé (ou quelques petites)

1 feuille de laitue, émincée

1 c. à soupe de salsa, maison ou du commerce

1 petite poignée de mozzarella, râpée

1 c. à soupe de crème sure

Un peu de beurre

Sel et poivre au goût

Préparation

1. Dans une poêle préchauffée à feu moyen-vif, faire fondre un peu de beurre et sauter le poivron et l'oignon jusqu'à ce que les légumes soient cuits mais encore fermes. Si vous l'utilisez, ajouter le piment fort aux légumes et sauter 1 minute de plus.

2. Ajouter les morceaux de poulet dans la poêle et faire revenir avec les légumes jusqu'à ce qu'ils soient chauds. Saler et poivrer, puis parsemer de cumin. Réserver.

3. Étaler la tortilla sur un plan de travail et garnir avec la laitue, la salsa et la crème sure. Déposer le mélange de poulet et de légumes à la cuillère et parsemer de fromage.

4. Rouler la tortilla.

5. Originellement, ce plat est servi avec une salsa de maïs non cuite, de la crème sure ainsi que du guacamole. Vous pouvez les cuisiner vous-même si vous le désirez : vous trouverez les recettes du pico de gallo et du guacamole à la page 168.

NOTES

Ailes de poulet à la marmelade

Ingrédients

8-12 **ailes de poulet**, parées

½ tasse de **farine**

2 c. à soupe de **paprika**

1 gousse d'**ail**, hachée

1 c. à thé de **poudre de chili**

½ tasse de **marmelade**

2 c. à soupe d'**eau**

Un peu d'**huile** et de **beurre**

Sel et **poivre** du moulin

➕ Prévoir ¼ tasse d'ailes de poulet pour chaque lunch supplémentaire.

Préparation

1. Préchauffer le four à 350 °F. Chemiser une plaque à cuisson de papier parchemin.

2. Saler et poivrer les ailes.

3. Dans un sac refermable (de type Ziploc), mélanger la farine, la poudre de chili, le paprika et l'ail. Ajouter les ailes de poulet, refermer soigneusement et secouer jusqu'à ce que les ailes soient complètement enrobées.

4. Dans une poêle chauffée à feu moyen-vif, verser un peu d'huile (ou un mélange d'huile et de beurre) et colorer les ailes de chaque côté jusqu'à ce que l'enrobage soit croustillant.

5. Déposer les ailes à plat sur la plaque à cuisson.

6. Mélanger l'eau avec la marmelade et verser cette sauce sur les ailes. Couvrir lâchement de papier d'aluminium.

7. Enfourner et cuire 20 minutes. Retirer le papier d'aluminium et continuer la cuisson à découvert jusqu'à ce que la marmelade caramélise.

8. Servir accompagné d'un riz basmati ou pilaf et d'une salade.

❄ ❄ ❄

Préparation pour le lunch : désosser les ailes de poulet, puis réfrigérer.

 ## Salade de poulet aux agrumes

1 portion

Ingrédients

| ¼ de tasse d'ailes de poulet, cuites et désossées |
| 1 orange |
| Le jus et le zeste d'une lime |
| ¼ de c. à thé de moutarde de Dijon |
| 1 c. à thé de marmelade |
| ¼ de tasse d'huile d'olive |
| Quelques feuilles de pissenlit |
| Quelques feuilles de mâche |
| 1 poignée de roquette |
| Quelques petites tomates cerises, coupées en deux |
| Un peu de luzerne ou de pousses de votre choix |

Préparation

1. Zester l'orange, puis extraire son jus dans un bol.

2. Ajouter le zeste et le jus de lime, puis incorporer la moutarde de Dijon et la marmelade. Fouetter et ajouter l'huile d'olive en filet.

3. Dans un saladier, mélanger toutes les feuilles de laitue ensemble et garnir avec le poulet désossé. Arroser de vinaigrette.

4. Servir dans des assiettes creuses et garnir avec les pousses et les tomates cerises.

Faisan fabuleux à la lime et betteraves rôties

Ingrédients

1 **cuisse de faisan**

Le jus de 2 **limes**

1 gousse d'**ail**, hachée

1 **clou de girofle**, concassé

1 gousse de **cardamome** entière, écrasée avec le plat du couteau

1 pincée de **cannelle**

1 pincée de graines de **coriandre**

1 pincée de **graines de cumin**

1 c. à thé de **gingembre frais**, râpé

½ tasse d'**huile végétale**

2 petites **betteraves** entières

Sel et **poivre** du moulin

Un peu de **beurre**

Prévoir ½ tasse de betteraves cuites pour chaque lunch supplémentaire.

Préparation

1. Dans un grand bol, fouetter le jus de lime et l'huile, et incorporer toutes les aromates. Saler et poivrer. Déposer la cuisse de faisan dans la marinade et bien enrober (n'ayez pas peur d'utiliser vos mains !).

2. Laisser mariner la cuisse au moins 6 heures.

3. Préchauffer le four à 350 °F. Chemiser une plaque à cuisson de papier parchemin.

4. Bien nettoyer la pelure des betteraves. Saler, poivrer et enrober d'huile, puis envelopper le tout de papier d'aluminium. Enfourner et cuire jusqu'à ce que la pointe d'un couteau traverse facilement la chair, de 40 minutes à 1 heure, selon la grosseur des betteraves.

5. Retirer les betteraves du four, laisser tiédir et peler avec le dos d'un couteau.

6. Retirer les cuisses de la marinade et les déposer sur la plaque. Enfourner et cuire de 20 à 25 minutes, ou jusqu'à ce que la chair soit complètement cuite.

7. Couper les betteraves en quartiers.

8. Dans une poêle chauffée à feu moyen-vif, faire fondre un peu de beurre et y sauter les betteraves 1 à 2 minutes, ou jusqu'à ce qu'elles soient bien chaudes. Saler et poivrer. Servir les betteraves rôties avec le faisan.

Note : Vous pouvez remplacer le faisan par n'importe quelle autre volaille sauvage de votre choix (perdrix, oie, etc.). Les quantités de viande par convive changeront selon le du poids de la bête en question.

Préparation pour le lunch : effilocher le faisan.

Salade de betteraves et de haricots verts au fromage de chèvre des Alpes

1 portion

Ingrédients

½ tasse de betteraves cuites, coupées en gros dés

2 c. à soupe d'amandes effilées

1 pomme épluchée, coupée en dés

2 échalotes, hachées

¼ de tasse de vinaigre de cidre

1 poignée de haricots verts, blanchis et coupés en tronçons

Fromage de chèvre frais, aux fines herbes ou nature

½ tasse d'huile végétale

Sel et poivre du moulin

Préparation

1. Préchauffer le four à 400 °F.

2. Déposer les amandes sur une plaque allant au four et enfourner. Griller les amandes 5 minutes, ou jusqu'à ce qu'elles deviennent dorées. Si vous cuisez trop les amandes, elles deviendront amères, alors n'oubliez pas de les surveiller.

3. Dans une poêle chauffée à feu moyen-vif, verser un peu d'huile et sauter la pomme et l'échalote environ 10 minutes, ou jusqu'à ce que l'échalote soit translucide. Ajouter le vinaigre et laisser mijoter un autre 10 minutes à feu doux.

4. Verser le mélange dans le bol d'un mélangeur ou d'un robot culinaire et mixer jusqu'à l'obtention d'une purée lisse. Refroidir.

5. Déposer les betteraves et les haricots verts dans un grand saladier et arroser de vinaigrette. Touiller pour mélanger, puis garnir avec le fromage de chèvre émietté. Parsemer d'amandes.

6. Attendre juste avant le service pour monter la salade, car les betteraves auront tendance à déteindre sur les autres ingrédients.

NOTES

Recettes de base

Vinaigrette à salade César

Ingrédients

5 filets d'**anchois**

¼ de tasse de **mayonnaise**

1 c. à soupe de **jus de citron**

2 c. à soupe de **parmesan**, râpé

1 jaune d'**œuf**, battu

Un filet d'**huile d'olive**

Du **poivre** du moulin

Préparation

1. Hacher grossièrement les anchois au couteau. Dans un petit bol, mélanger les anchois à la mayonnaise avec le poivre, le jus de citron et le parmesan.

2. À l'aide d'une fourchette ou d'un petit fouet, incorporer le jaune d'œuf battu et l'huile versée lentement en filet.

3. Goûter et rectifier l'assaisonnement au besoin avec un peu de sel ou de jus de citron.

Note : Le parmigiano reggiano est le roi du parmesan. En deuxième place arrive le grana padano. Il est préférable d'acheter un bloc de parmesan plutôt que de l'acheter déjà râpé. Vous vous assurez ainsi de sa qualité et d'un maximum de saveur.

Pico de gallo (salsa non cuite au maïs)

Ingrédients

2 **tomates**, épépinées

¼ de **piment fort** (facultatif)

1 petit **oignon jaune**

Quelques tranches de **concombre**

Le jus d'une **lime**

Préparation

1. Couper tous les ingrédients en petits dés et mélanger. Servir froid.

Guacamole

Ingrédients

1 **avocat**

1 c. à soupe de jus de **lime**

Sel au goût

Préparation

1. Peler l'avocat et l'écraser à la fourchette avec le jus de lime. Saler au goût.

Note : Certaines versions incluent des tomates en dés, mais cette version simple accompagne bien toutes les recettes d'inspiration mexicaine.

Sauce vierge à la mangue

Ingrédients

1 **tomate**, épépinée et coupée en petits dés

½ **concombre**, coupé en petits dés (tâchez d'avoir la même quantité de concombre et de tomate)

½ **mangue**, coupée en petits dés

1 **échalote**, hachées

2 feuilles de **menthe**, hachée

4 c. à soupe d'**huile d'olive**

Le jus d'un **citron**

Sel et **poivre** du moulin

Préparation

1. Mélanger les dés de tomate, de concombre et de mangue ensemble. Ajouter l'échalote, puis saler et poivrer.

2. Verser l'huile d'olive sur le mélange et ajouter la menthe.

3. Finir en mélangeant bien la sauce avec le jus de citron.

Note : Vous pouvez remplacer la menthe par de la ciboulette ou de la coriandre.

Tzatziki

Ingrédients

- 1 **concombre**
- ¼ de tasse de **crème fraîche** ou de **yogourt grec**, égoutté
- ¼ de tasse de **crème sure**
- 1 gousse d'**ail**, hachée
- **Sel** et **poivre** du moulin

Préparation

1. Couper le concombre en quartiers et retirer les pépins. Tailler la chair restante en très petits dés. Déposer le concombre en dés sur un linge propre et presser délicatement pour en retirer le maximum d'humidité.

2. Mélanger la crème fraîche (ou le yogourt) avec la crème sure et ajouter l'ail. Saler et poivre au goût.

3. Incorporer la brunoise de concombre dans le mélange de crème et touiller pour mélanger.

   Note : Pour le tzatziki, il est très important d'enlever les pépins pour éviter que la préparation ne se liquéfie. Le tzatziki est polyvalent. Il est délicieux servi comme sauce d'accompagnement pour le poulet, comme je vous le suggère dans la recette de poulet mariné au citron. Vous pouvez aussi l'utiliser pour garnir une tranche de concombre, des croûtons maison ou des craquelins du commerce. Il s'utilise aussi comme sauce à salade ou comme trempette à crudités.

Salade de brocoli aux noix

Ingrédients

- 4 c. à soupe de **mayonnaise**
- 2 c. à soupe de **crème 35 %**
- 1 c. à thé de **sucre**
- 1 ½ tasse de **brocoli** cuit, défait en petits bouquets
- 1 **oignon vert**, émincé
- 1 poignée de **noix de cajou**
- **Sel** et **poivre** du moulin

Préparation

1. Dans un petit bol, mélanger la mayonnaise avec le sucre et la crème jusqu'à l'obtention d'une texture lisse et homogène.

2. Dans un saladier, déposer les bouquets de brocoli et ajouter l'oignon vert et les noix. Incorporer la vinaigrette, touiller pour mélanger et servir froid.

Vinaigrette façon Mille-Îles

Ingrédients

- ½ **œuf** cuit dur, haché
- 1 **échalote française**, finement hachée
- 1 c. à soupe de **relish**
- ½ tasse de **mayonnaise**
- ¼ de tasse de **poivron vert**, coupé en petits dés
- ½ tasse de **sauce chili** (ou de ketchup)
- Le jus d'un **demi-citron**
- Une pincée de **persil frais**, haché

Préparation

1. Mélanger tous les ingrédients dans un petit bol. Goûter et rectifier l'assaisonnement au besoin.

Épices Tex-Mex

Ingrédients

- 1 c. à soupe de **poudre d'oignon**
- 1 c. à soupe de **poudre d'ail**
- 4 c. à soupe de **poudre de chili**
- 2 c. à soupe de **paprika**
- 1 c. à soupe d'**origan séché**
- 1 c. à soupe de **cumin en poudre**
- **Flocons de piment**
- **Sel** et **poivre** du moulin au goût

Préparation

1. Mélanger tous les ingrédients.

Sauce de tomates concassées

Ingrédients

- 1 **oignon rouge**, coupé en petits dés
- 1 gousse d'**ail**, hachée
- 6 **tomates**, coupées grossièrement
- Un peu de **beurre**

Préparation

1. Dans une poêle préchauffée à feu doux, faire fondre un peu de beurre et cuire l'oignon avec la gousse d'ail jusqu'à ce qu'ils soient translucides.

2. Ajouter les tomates et laisser mijoter à feu doux jusqu'à ce qu'elles rendent leur jus et qu'elles compotent.

3. Servir avec un pain de viande.

Riz pilaf

Ingrédients

- 1 **oignon**, coupé en dés
- ⅓ de tasse de **riz à grain long**
- ⅔ de tasse de **bouillon de poulet**
- 1 branche de **thym**
- 1 feuille de **laurier**
- Un peu de **beurre**
- **Sel** et **poivre** du moulin

Préparation

1. Préchauffer le four à 350 °F.

2. Dans une casserole allant au four préchauffée à feu doux, faire fondre un peu de beurre et cuire l'oignon 5 minutes, ou jusqu'à ce qu'il soit translucide.

3. Ajouter le riz et poursuivre la cuisson 5 autres minutes en remuant à l'aide d'une cuillère de bois.

4. Ajouter le thym, la feuille de laurier et le bouillon de poulet, puis porter à ébullition. Éteindre le feu.

5. Enfourner et cuire à couvert environ 15 à 20 minutes, ou jusqu'à ce que le riz soit prêt.

Purée de pommes de terre

Ingrédients

- 1 lb de **pommes de terre**, coupées en quartiers
- 2 c. à soupe de **lait**
- 4 c. à soupe + 2 c. à thé de **beurre**
- **Sel** et **poivre** du moulin

Préparation

1. Déposer les quartiers de pommes de terre dans une casserole et couvrir d'eau froide. Cuire jusqu'à ce que la pointe d'un couteau s'insère facilement au centre d'un quartier.

2. Égoutter et écraser les pommes de terre à l'aide d'un pilon. Saler et poivrer, puis ajouter les autres ingrédients et mélanger jusqu'à l'obtention d'une purée lisse.

Trempette au bleu

Ingrédients

50 g de **bleu**

¾ de tasse de **mayonnaise**

¼ de tasse + 1 c. à soupe de **crème 35 %**

Un pincée de **poudre d'ail**

1 c. à soupe de **ciboulette**, ciselée

Le jus d'un **demi-citron**

Poivre du moulin

Préparation

1. Écraser le bleu à l'aide d'une fourchette, puis ajouter tous les autres ingrédients. Touiller pour bien mélanger.

2. Réserver au froid 12 heures à l'avance.

Pâte à tarte maison au beurre

Ingrédients

1 ¾ tasse de **farine**

½ c. à thé de **sel**

½ tasse + 1 c. à soupe de **beurre** froid, coupé en dés

¼ de tasse + 1 c. à soupe d'**eau** froide

2 c. à thé de **vinaigre blanc**

Préparation

1. Mélanger la farine avec le sel dans un bol, puis ajouter le beurre au moyen d'un coupe-pâte.

2. Si vous n'en avez pas, utilisez un fouet comme s'il s'agissait d'un pilon à pommes de terre. Il est normal qu'il reste de gros morceaux de beurre dans la pâte : c'est ce qui l'aidera à devenir feuilletée.

3. Ajouter l'eau et le vinaigre, puis mélanger avec les mains. Dès que la pâte se tient, il faut cesser de mélanger : on doit la manipuler le moins possible.

4. Former une boule avec la pâte et réfrigérer au moins 4 heures avant de l'utiliser.

5. Rouler votre pâte sur une surface propre et farinée. Sachez que plus vous ajoutez de farine sur votre surface de travail, plus la pâte deviendra dure lors de la cuisson.

Vinaigrette aux herbes pour poisson ou salade

Ingrédients

½ tasse de **jus d'orange**

½ tasse d'**huile d'olive**

Le zeste d'un **citron**

Le zeste d'une **lime**

1 branche d'**estragon**

1 branche de **basilic**

1 branche de **persil**

20 branches de **ciboulette**

Sel et **poivre** du moulin

Préparation

1. Mettre tous les ingrédients dans le bol d'un mélangeur ou d'un robot culinaire et mixer jusqu'à l'obtention d'une texture lisse et homogène.

Vinaigrette à l'érable

Ingrédients

½ tasse d'**huile d'olive**

1 c. à thé de **moutarde de Dijon**

1 c. à thé de **moutarde à l'ancienne**

1 c. à soupe de **sirop d'érable**

1 c. à soupe de **vinaigre balsamique**

Préparation

1. Verser tous les ingrédients dans un petit bol et fouetter jusqu'à ce que le mélange soit lisse.

Végétarien

Casserole de légumes grillés

Ingrédients

1 petite **aubergine**, coupée en tranches d'environ 1 cm d'épaisseur, dans le sens de la longueur

1 **courgette**, coupée en tranches d'environ 1 cm d'épaisseur, dans le sens de la longueur

1 **oignon rouge**, tranché en rondelles épaisses

1 **poivron rouge**, coupé en quartiers

½ tasse de **sauce tomate**

Quelques feuilles d'**origan** frais

¼ de tasse de **crème 35 %**

Un peu d'**huile d'olive**

Sel et **poivre** du moulin

+ Prévoir 150 g de légumes grillés pour chaque lunch supplémentaire.

Préparation

1. Préchauffer le barbecue à chaleur élevée. Vous pouvez aussi utiliser une poêle en fonte striée préchauffée à feu moyen-vif.

2. Arroser les légumes d'un filet d'huile d'olive, puis saler et poivrer.

3. Cuire les légumes directement sur la grille du barbecue, jusqu'à ce que des marques de coloration apparaissent, environ 3 à 4 minutes de chaque côté.

4. Déposer les légumes dans un plat allant sur le barbecue (comme une rôtissoire jetable en aluminium) et garnir avec la sauce tomate, l'origan et la crème. Saler et poivrer. Cuire jusqu'à ce que la casserole de légumes bouillonne.

5. Servir avec une salade verte.

Note : Si vous utilisez un plat à cuisson de votre arsenal culinaire, vous pouvez éviter de frotter les résidus noirs que le barbecue laisse sur vos plats en les enroulant dans du papier d'aluminium. Cela crée un peu de gaspillage, mais beaucoup moins de nettoyage.

❄ ❄ ❄

Préparation pour le lunch : réserver les légumes grillés au froid.

Tortilla de légumes grillés au fromage de chèvre

1 portion

Ingrédients

Environ 150 g de légumes grillés, froids

1 grande tortilla de farine de blé

2-3 tranches du fromage de chèvre de votre choix

J'ai une préférence pour le fromage Le Cendrillon, de La Fromagerie Alexis de Portneuf.

Préparation

1. Étaler la tortilla sur un plan de travail. Déposer le fromage de chèvre au centre de la tortilla, puis garnir avec les légumes. Refermer le sandwich.

2. Déguster froid ou, si vous le désirez, griller le sandwich dans un grille-panini ou dans une poêle en fonte striée à feu moyen.

NOTES

_____

_____

_____

_____

_____

Quésadilla aux légumes grillés

1 portion

Ingrédients

Environ 150 g de légumes grillés, froids

2 petites tortillas de farine de blé

3 c. à soupe de fromage à la crème

1 c. à thé de pesto (facultatif)

¼ de tasse de cheddar fort, râpé

Un peu d'huile d'olive

J'ai une préférence pour le cheddar fort de la Société Coopérative Agricole de l'Île-aux-Grues.

Préparation

1. Étaler une des tortillas sur le plan de travail et tartiner de fromage à la crème et de pesto, s'il y a lieu.

2. Ajouter les légumes grillés et le fromage râpé. Refermer le sandwich avec l'autre tortilla.

3. Cuire dans une poêle en fonte striée chauffée à feu moyen et badigeonnée d'un peu d'huile d'olive. Retourner après 5 minutes et poursuivre la cuisson jusqu'à ce que le fromage soit fondu et que le quésadilla soit bien croustillant de chaque côté.

4. Servir avec une salade de maïs ou une autre salade de votre choix.

NOTES

Gratin de courge poivrée

Ingrédients

1 **courge poivrée** d'environ 1 kg, coupée en deux

2 gousses d'**ail,** écrasées avec le plat du couteau (nul besoin de les peler)

4 branches de **thym**

1 tasse de **sauce tomate**

¼ de tasse de **parmesan**, râpé

Un peu d'**huile d'olive**

Sel et **poivre** du moulin

➕ Prévoir ½ tasse de chair de courge pour chaque lunch supplémentaire.

J'ai une préférence pour le vrai parmigiano reggiano italien.

Préparation

1. Préchauffer le four à 375 °F. Chemiser une plaque à cuisson de papier parchemin et réserver.

2. Déposer la courge poivrée sur la plaque. Pour plus de stabilité, vous pouvez retirer une tranche au bas de la courge pour lui donner une base plate.

3. Dans chacune des moitiés de courge, déposer une gousse d'ail écrasée et deux branches de thym. Saler et poivrer, puis badigeonner avec l'huile. Recouvrir les moitiés de courge de papier d'aluminium.

4. Enfourner et cuire au moins 45 minutes, ou jusqu'à ce que la pointe d'un couteau traverse la chair facilement.

5. Sortir du four, retirer le papier d'aluminium et enlever les gousses d'ail et les branches de thym. Remplir la cavité de la courge avec la sauce tomate. Garnir de parmesan.

6. Enfourner à nouveau et cuire 15 minutes, ou jusqu'à ce que le fromage soit fondu et doré.

7. Déguster avec une salade.

❄ ❄ ❄

Préparation pour le lunch : *Retirer le fromage fondu. Avec une cuillère, évider la courge pour en retirer la chair cuite. Réfrigérer.*

Voir la photo à la page 157.

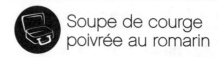

Soupe de courge poivrée au romarin

1 portion

Ingrédients

Environ ½ tasse de chair de courge poivrée, cuite

1 pomme rouge (McIntosh, Cortland, etc.), coupée en petits dés

1 gousse d'ail, hachée

1 branche de thym

1 oignon, haché grossièrement

1 tasse de bouillon de légumes

Un peu de beurre

Sel et poivre au goût

Préparation

1. Préchauffer une grande casserole à feu doux et y faire fondre un peu de beurre. Faire revenir la pomme, l'ail, le thym et l'oignon environ 10 minutes, jusqu'à ce que le mélange commence à compoter.

2. Ajouter la chair de courge et le bouillon de légumes. Saler et poivrer.

3. Cuire à feu doux pendant 15 à 20 minutes. Retirer les branches de thym, puis passer au mélangeur jusqu'à l'obtention d'une consistance lisse. Cette soupe peut être servie avec une petite garniture de ciboulette hachée ou de crème, si vous le désirez.

❄ ❄ ❄

Ce lunch peut être congelé.

Salade d'amour

Ingrédients

- 1 petite poignée d'**amandes** effilées (ou de noix de cajou)
- ¼ de tasse de **fèves germées**
- ¼ de tasse de **jeunes pousses d'épinard**
- ¼ de tasse de **raisins secs**
- 4 **champignons de Paris** (ou champignons café), tranchés
- 1 **poivron rouge** (vert, jaune, orange, comme vous voulez), taillé en dés
- 1 branche de **céleri**, coupée en cubes
- ¼ de tasse de **riz brun**, cuit à l'étuvé
- 1 gousse d'**ail,** hachée
- ¼ de tasse d'**huile d'olive**
- 4 c. à soupe de **sauce soya**
- 1 c. à thé de **miel**
- **Poivre** du moulin

✚ Prévoir 1 tasse de salade pour chaque lunch supplémentaire.

Préparation

1. Dans un grand saladier, mélanger tous les ingrédients sauf l'huile d'olive, la sauce soya et le miel. Saler et poivrer, puis réserver 1 tasse de salade pour chaque lunch.

2. Fouetter ensemble l'huile d'olive, la sauce soya et le miel. Incorporer à la salade et bien mélanger. Servir immédiatement.

Note : Personnellement, j'aime beaucoup ajouter de la coriandre fraîche à ce plat, même si cela ne fait pas partie de la traditionnelle salade d'amour. À cause de son goût de noisette, le riz brun est préférable dans cette recette, mais le riz blanc fait tout aussi bien l'affaire.

Préparation pour le lunch : conserver la salade sans la vinaigrette au réfrigérateur.

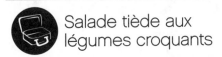

Salade tiède aux légumes croquants

1 portion

Ingrédients

1 tasse de salade d'amour froide, sans la vinaigrette

1 oignon rouge, haché

1 pomme verte, tranchée finement

2 c. à soupe de vinaigre de Xérès

Un peu de beurre

Sel et poivre du moulin

Préparation

1. Dans une poêle préchauffée à feu moyen, faire fondre un peu de beurre et cuire l'oignon environ 5 minutes, en remuant souvent.

2. Ajouter les pommes et poursuivre la cuisson un autre 5 minutes. Déglacer avec le vinaigre et laisser cuire à feu doux, environ 5 minutes.

3. Verser le mélange chaud dans la salade froide, bien mélanger et servir immédiatement.

Note : Le vinaigre de Xérès (Sherry, en anglais) est disponible dans toutes les épiceries dans la section des vinaigres, souvent près des moutardes de Dijon et des huiles. Ce vinaigre est assez acide : vous pouvez aussi le remplacer par un vinaigre de votre choix.

NOTES

_____

_____

_____

_____

x 1   **x 1**

Tofu façon parmigiana

Ingrédients

1 tranche de **tofu** de 1 cm d'épais, environ 100 g en tout

Un peu de **farine** (environ ¼ de tasse)

1 **œuf** battu

Un peu de **chapelure** (environ ¼ de tasse)

Un peu de **sauce tomate** (environ ¼ de tasse)

1 tranche de **provolone**

Un peu d'**huile d'olive**

➕ Prévoir 100 g de tofu de plus pour chaque lunch supplémentaire.

Préparation

1. Préchauffer le four à 350 °F. Chemiser une plaque à cuisson de papier parchemin et réserver.

2. Fariner le pavé de tofu, puis le tapoter pour enlever l'excédent de farine. Tremper dans l'œuf battu, puis passer ensuite dans la chapelure. Répéter l'opération pour obtenir deux couches de panure.

3. Dans une poêle chauffée à feu moyen-vif, verser un peu d'huile et colorer le tofu en le faisant frire à peu près 4 minutes de chaque côté. Déposer sur la plaque à cuisson.

4. Garnir le pavé de tofu de sauce tomate et ajouter le fromage.

5. Enfourner et cuire environ 10 minutes, ou jusqu'à ce que le tofu soit chaud et le fromage doré.

6. Servir avec des pâtes au beurre et des poivrons sautés arrosés de sauce tomate.

Préparation pour le lunch : *réserver le reste du tofu au réfrigérateur.*

Sandwich au tofu et au concombre

1 portion

Ingrédients

1 tranche de tofu
2 tranches de pain à sandwich
1 c. à soupe de mayonnaise
1 c. à soupe de crème sure
1 c. à thé de ciboulette
6 tranches de concombre
3 tranches de tomate
1 feuille de laitue
Quelques rondelles de cornichons à l'aneth
Poivre du moulin

Préparation

1. Cuire votre pain au grille-pain.

2. Mélanger la mayonnaise avec la crème sure et la ciboulette. Poivrer au goût.

3. Tartiner le mélange de mayonnaise sur le sandwich, puis l'assembler en empilant tous les ingrédients. Déguster froid.

Note : Vous pouvez aussi ajouter des pousses de luzerne si vous le désirez. Ce plat est excellent avec une soupe.

NOTES

Salade de pois chiches à la marocaine

Ingrédients

- 1 boîte de conserve de **pois chiches**, rincés et égouttés
- Le jus et le zeste d'un **citron**
- 1 **poivron rouge**, rôti (voir la recette de panini à l'érable, aux oignons et aux poivrons rôtis à la page 83 pour la marche à suivre), coupé en lanières ou en cubes
- ¼ de tasse d'**huile d'olive**
- 1 demi-botte de **coriandre** fraîche, lavée et hachée grossièrement
- **Sel** et **poivre** du moulin

➕ Prévoir ½ tasse de salade de pois chiches à la marocaine pour chaque lunch supplémentaire.

Préparation

1. Dans un saladier, mélanger les pois chiches avec le jus de citron, puis saler et poivrer au goût. Ajouter le zeste, les lanières de poivron rôti et l'huile d'olive. Touiller pour mélanger.

   Note : Vous pouvez aussi cuire vous-même vos pois chiches. Ce n'est pas compliqué ; c'est simplement plus long. Faire d'abord tremper les pois chiches dans un grand bol rempli d'eau au moins toute une nuit au réfrigérateur. Le lendemain, rincer et égoutter les pois chiches, puis les faire cuire à feu moyen dans une grande casserole remplie d'eau, jusqu'à ce qu'ils soient tendres, c'est-à-dire au moins 1 heure. Le temps de cuisson des légumineuses varie beaucoup selon leur fraîcheur : plus elles sont dans vos armoires depuis longtemps, plus elles prendront de temps à cuire, mais elles restent toujours propres à la consommation.

Préparation pour le lunch : réserver les restants au réfrigérateur.

1 portion

Ingrédients

Environ ½ tasse de salade de pois chiches à la marocaine

¼ de tasse d'huile d'olive

1 c. à thé de jus de citron

1 c. à soupe de tahini (le tahini est une purée de graines de sésame qui se trouve facilement dans les épiceries, dans la section des aliments internationaux)

Environ 90 g de chips de tortillas nature

Préparation

1. Au robot culinaire ou au mélangeur, mettre en purée la salade de pois chiches avec l'huile, le jus de citron et le tahini jusqu'à l'obtention d'une consistance lisse.

2. Réserver au réfrigérateur jusqu'à ce que le mélange soit très froid, puis servir avec les chips de tortillas.

   Note : Vous pouvez aussi servir le houmous avec des croûtons maison, des craquelins du commerce, du pain croûté, du pain naan grillé ou des crudités.

NOTES

_____

_____

_____

_____

_____

Courges spaghetti farcies à la semoule de blé

Ingrédients

1 **courge spaghetti** d'environ 1,5 kg, coupée en deux

½ tasse de **boulgour**, cuit selon les indications du fabricant

3 tasses de **sauce tomate**

1 branche de **thym**

6 gousses d'**ail**, écrasées avec le plat du couteau (nul besoin de les peler)

Un poignée de **persil**, haché grossièrement

Prévoir 1 tasse de courge cuite et 1 tasse de boulgour pour chaque lunch supplémentaire.

Préparation

1. Préchauffer le four à 375 °F. Chemiser une plaque à cuisson de papier parchemin et réserver.

2. Déposer les deux moitiés de courge sur la plaque et garnir la cavité avec le boulgour cuit, la sauce tomate, le thym et l'ail. Saler et poivrer, puis couvrir les moitiés de courge de papier d'aluminium.

3. Enfourner et cuire 45 minutes, ou jusqu'à ce que la pointe d'un couteau s'insère facilement dans la chair. Retirer le papier d'aluminium et jeter le thym et les gousses d'ail.

4. Servir chaud et parsemer la courge de persil haché, ce qui ajoutera de la fraîcheur au plat.

Note : Le boulgour est un sous-produit très ancien de la culture du blé. Vous le retrouverez dans la section des produits secs, avec le couscous et les légumineuses en sac. Dans cette recette, vous pouvez le remplacer par du couscous non cuit.

Préparation pour le lunch : réserver le boulgour cuit et la chair de courge au réfrigérateur.

 ## Spaghetti de courge à la sauce tomate

1 portion

Ingrédients

1 tasse de courge spaghetti, cuite et effilochée

½ tasse de sauce tomate, chaude

Une poignée de parmesan, râpé

Un peu de mozzarella, râpée

Quelques feuilles de basilic frais, coupées en chiffonade

Un peu de beurre

Préparation

1. Dans une poêle préchauffée à feu moyen-vif, faire fondre un peu de beurre et sauter la courge jusqu'à ce qu'elle soit chaude. Déposer la courge spaghetti dans un plat.

2. Ajouter la sauce tomate par-dessus ainsi que la mozzarella et le parmesan. À cette étape, vous pouvez aussi passer le plat sous le gril du four pour faire fondre et gratiner les fromages. Parsemer le plat de feuilles de basilic et servir aussitôt.

3. La courge spaghetti cuite ressemble à de véritables spaghettis ; vous étonnerez vos convives dès la première bouchée.

 **Taboulé**

Ingrédients

1 portion

1 tasse de boulgour nature, cuit selon les instructions du fabricant

¾ de tasse de persil, haché

Le jus de 2 citrons

¼ de tasse d'huile d'olive

2 tomates, coupées en petits dés

1 oignon vert, finement émincé

Sel et poivre du moulin

Préparation

1. Dans un grand saladier, mélanger tous les ingrédients et servir froid.

Note : En épicerie, il est maintenant possible d'acheter simplement les têtes de persil sans les tiges : si vous ne désirez pas le préparer vous-même, vous gagnerez un peu de temps ! Le véritable taboulé originaire du Liban est préparé avec du boulgour, mais vous pouvez le remplacer par du couscous.

NOTES

x 2-3 **x 1**

Parmentier de légumineuses

Ingrédients

- 2 tasses de **purée de pommes de terre**
- 2 **oignons**, émincés
- 1 **carotte**, taillée en dés
- 1 branche de **céleri**, taillée en dés
- 1 **oignon**, taillé en dés
- 2 gousses d'**ail**, hachées
- 1 branche de **thym**
- 1 boîte de conserve de **légumineuses** de votre choix (haricots rouges, noirs ou mixtes), rincées et égouttées
- Un peu de **beurre**
- **Sel** et **poivre** du moulin

➕ Prévoir 1 tasse de légumineuses pour chaque lunch supplémentaire.

Préparation

1. Préchauffer le four à 350 °F.

2. Dans une grande poêle préchauffée à feu moyen-vif, faire fondre un peu de beurre et cuire l'oignon émincé 10 minutes, ou jusqu'à coloration. Baisser le feu et continuer à cuire en remuant jusqu'à ce que l'oignon soit compoté et caramélisé, environ 15 minutes. Ajouter un peu d'eau au besoin. Réserver dans un petit plat.

3. Dans la même poêle, sauter la carotte, le céleri, l'ail et le thym, et cuire à feu moyen environ 10 minutes. Ajouter les légumineuses et touiller pour réchauffer. Retirer la branche de thym.

4. Déposer le mélange de légumineuses au fond d'un plat allant au four. Couvrir avec l'oignon caramélisé, puis garnir avec la purée de pommes de terre.

5. Enfourner et cuire au four environ 35 minutes, ou jusqu'à ce que la croûte de pommes de terre soit croustillante et dorée.

Note : Vous pouvez aussi faire cuire vos légumineuses vous-même en suivant les indications du fabricant.

Préparation pour le lunch : réserver les restes de légumineuses cuites au réfrigérateur.

Salade de légumineuses au maïs

2 portions

Ingrédients

1 tasse de légumineuses, cuites

½ boîte de conserve de 355 ml de grains de maïs, égouttés

1 poivron rouge, coupé en dés

1 branche de céleri, coupé en dés

1 tomate, coupée en dés

Votre vinaigrette à salade préférée

Poivre du moulin

Préparation

1. Dans un grand saladier, mélanger tous les ingrédients ensemble et refroidir. Poivrer au goût.

Note : Si vous désirez essayer une autre vinaigrette pour cette salade, vous pouvez choisir la vinaigrette façon Mille-Îles (voir la recette à la page 169).

NOTES

Sauté de nouilles à l'asiatique

Ingrédients

½ tasse de **bouillon de poulet**

1 bout d'environ 4 pouces de **citronnelle**

½ tasse de bébés **bok choy**, coupés en quartiers

1 tête de **brocoli**, défaite en petits bouquets

1 c. à soupe de **mirin**

1 c. à soupe de **sauce de poisson**

1 c. à soupe de **fécule de maïs**

1 **oignon rouge**, émincé

½ tasse de **chou chinois**, émincé

1 gousse d'**ail**, hachée

5 **champignons de Paris**, émincés

2 tasses de **vermicelles de riz** (ou autres nouilles asiatiques que vous appréciez), cuits selon les indications du fabricant

1 c. à thé de **gingembre**, râpé

1 poignée de **coriandre**

Un peu d'**huile d'olive**

Poivre du moulin

✚ Prévoir ½ tasse de sauté de nouilles à l'asiatique pour chaque lunch supplémentaire.

Préparation

1. Verser le bouillon de poulet dans une casserole et y déposer la citronnelle. Porter à ébulliton et cuire les bok choy et le brocoli dans ce mélange. Égoutter les légumes et réserver le bouillon. Retirer la citronnelle.

2. Mélanger la fécule de maïs avec le mirin et la sauce de poisson. Incorporer le mélange de fécule au bouillon de poulet, puis cuire à feu moyen 10 minutes, ou jusqu'à ce que la sauce épaississe. Réserver.

3. Verser un peu d'huile dans une grande poêle ou un wok préchauffé à feu moyen-vif et sauter l'oignon avec le chou, l'ail et les champignons. Ajouter les autres légumes, puis cuire environ 5 minutes.

4. Ajouter les nouilles et le gingembre. Cuire jusqu'à ce que les nouilles soient chaudes, soit environ 10 minutes.

5. Servir garni de coriandre fraîche dans un bol creux.

Note : La citronnelle se retrouve avec les herbes fraîches dans n'importe quel supermarché. La sauce de poisson et le mirin se retrouvent dans la section des produits asiatiques.

Préparation pour le lunch : réserver les restes au froid.

Voir la photo à la page 158.

Soupe-repas asiatique à la coriandre

`1 portion`

Ingrédients

½ tasse de sauté de nouilles à l'asiatique

2 tasses de bouillon de poulet

1 bâton de cannelle

1 anis étoilé

¼ de tasse de coriandre

Préparation

1. Verser le bouillon dans une grande casserole et ajouter l'anis et le bâton de cannelle. Porter à ébullition, puis réduire le feu. Laisser infuser environ 10 minutes.

2. Retirer l'anis et le bâton de cannelle.

3. Ajouter le restant de sauté de nouilles à l'asiatique et porter à ébullition à nouveau.

4. Verser la soupe dans de grands bols et garnir avec la coriandre fraîche.

Ce lunch peut être congelé.

Salade à l'avocat et aux œufs durs

Ingrédients

15 **framboises**

½ **échalote** grise, finement hachée

¼ de tasse d'**huile d'olive**

3 c. à soupe de **vinaigre de framboise**

1 **avocat**, coupé en quartiers

2 **œufs** cuits dur, coupés en gros dés

1 **tomate**, coupée en gros dés

1 **concombre** libanais, coupé en dés

Sel et **poivre** du moulin

✚ Prévoir 1 œuf pour chaque lunch supplémentaire.

Préparation

1. À l'aide du mélangeur, mixer les framboises avec l'échalote et l'huile. Ajouter le vinaigre de framboise, puis saler et poivrer.

2. Dans un grand saladier, mélanger l'avocat, un œuf, la tomate et le concombre ensemble. Arroser avec la vinaigrette et touiller. Servir froid.

    Note : Cette salade sert de plat complet et se mange comme une salade régulière, mais sans laitue. Si vous le désirez, vous pouvez en ajouter. Le vinaigre de framboise se trouve facilement au supermarché, dans la section des vinaigres et des moutardes.

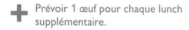

Préparation pour le lunch : réserver l'autre œuf cuit dur au réfrigérateur..

Gaspacho et œuf dur

1 portion

Ingrédients

1 œuf cuit dur, haché grossièrement

5 tomates italiennes

1 poivron vert, grossièrement haché

¼ d'oignon rouge, grossièrement haché

¾ de concombre anglais, coupé en gros morceaux

1 gousse d'ail, coupée en quartiers

3 gouttes de Tabasco

Sel et poivre au goût

½ bouquet de coriandre fraîche

¼ de tasse de vin blanc liquoreux (ou de vinaigre de pomme)

Un peu d'huile d'olive

Préparation

1. Porter une casserole remplie d'eau à ébullition. Avec la pointe d'un couteau, faire une entaille en forme de croix à la base des tomates. Blanchir les tomates 2 minutes et refroidir immédiatement dans l'eau froide. La peau des tomates se soulèvera facilement : il suffira de l'enlever en la grattant avec le dos d'un couteau.

2. À l'aide d'un mélangeur ou d'un robot-culinaire, mixer tous les ingrédients sauf l'œuf et l'huile, jusqu'à l'obtention d'une soupe lisse.

3. Servir très froid dans un bol ou une tasse en verre, avec un filet d'huile d'olive sur le dessus ainsi que l'œuf dur haché comme garniture.

    Note : Vous pouvez aussi utiliser des tomates en conserve entières pour réaliser cette recette. Elles ont déjà été pelées.

Sandwich aux œufs, à la tomate, à la roquette et au bocconcini

1 portion

Ingrédients

1 œuf cuit dur, coupé en tranches (4 tranches seront suffisantes)

1 pain ciabatta de votre choix (au fromage ou au carvi, par exemple)

1 poignée de roquette

2 tranches de tomate

3 bocconcini

2 c. à soupe de mayonnaise

Un peu d'huile d'olive

Sel et poivre au goût

Préparation

1. Huiler légèrement le pain ciabatta et griller jusqu'à ce qu'il soit chaud et croustillant sans être trop sec.

2. Assembler le sandwich en empilant toutes les garnitures, puis saler et poivrer.

3. Déguster froid ! Les tranches d'œuf de ce sandwich donnent une apparence appétissante et différente de la version aux œufs hachés. C'est aussi une bonne idée pour recevoir des convives avec un plat classique pas compliqué, mais qui a de la gueule !

NOTES

Riz sauté aux légumes

Ingrédients

- 1 **courgette**, coupée en dés
- 1 **poivron vert**, coupé en dés
- 1 **tomate**, coupée en dés
- 1 **oignon**, haché
- 1 gousse d'**ail**, hachée
- 1 tasse de **riz blanc** (basmati ou étuvé), cuit selon les indications du fabricant et refroidi (l'idéal est de le faire cuire la veille)
- ¼ de tasse de **sauce soya**
- 2 c. à soupe de **vin blanc sec**
- Un peu de **beurre**
- **Sel** et **poivre** du moulin

✚ Prévoir 1 courgette et ¼ de tasse de riz pour chaque lunch supplémentaire.

Préparation

1. Dans une grande poêle ou un wok préchauffé à feu moyen-vif, faire fondre un peu de beurre et sauter tous les légumes (sauf l'ail) jusqu'à ce qu'ils soient cuits mais encore croquants, environ 8 minutes. Ajouter l'ail durant la dernière minute de cuisson.

2. Ajouter le riz, puis poursuivre la cuisson environ 5 minutes, ou jusqu'à ce que le riz soit chaud. Verser le vin et la sauce soya dans la poêle, et touiller pour mélanger.

3. Servir dans un bol creux.

❄ ❄ ❄

Préparation pour le lunch : réserver les restes au réfrigérateur.

Courgettes farcies

1 portion

Ingrédients

| ¼ de tasse de riz sauté aux légumes |
| 1 courgette, coupée en deux dans le sens de la longueur |
| 1 poignée de fromage de chèvre à pâte molle, comme le brie de chèvre, par exemple |
| Une petite poignée de granola au miel et aux fruits secs (ou autre granola) |
| Un quartier de citron |

J'ai une préférence pour le fromage Chèvre d'Art, de La Fromagerie Alexis de Portneuf.

Préparation

1. Préchauffer le four à 350 °F.

2. Évider la courgette au moyen d'une cuillère à soupe. Ne retirer que les pépins et la chair très moelleuse de la courgette; nous voulons qu'elle se tienne bien lors de la cuisson.

3. Garnir la cavité avec le riz, puis parsemer de fromage et de granola.

4. Enfourner et cuire au moins 10 minutes, jusqu'à ce que le fromage soit fondu et que le granola soit doré et croustillant.

5. Servir avec un quartier de citron à presser sur la courgette.

Note : Pour cette recette, vous pouvez utiliser le granola du commerce que vous préférez. Il s'agit d'un mélange de noix et de céréales en flocons que l'on utilise généralement avec le yogourt ou comme complément aux céréales du commerce. Certains sont disponibles avec un amalgame de fruits : raisins, canneberges, pommes ou autres. Ceux-ci seront délicieux dans notre recette. Vous les retrouverez soit dans la section bio de votre épicerie ou dans la section des cérérales chaudes, avec le gruau.

Soupe de riz tomatée

1 portion

Ingrédients

Environ 1 tasse de riz sauté aux légumes

1 oignon, haché

1 branche de céleri, coupé en cubes

1 tasse de bouillon de poulet

1 boîte de conserve de 284 ml de soupe aux tomates

½ tasse de maïs en grains

Un peu de beurre

Préparation

1. Dans une casserole préchauffée à feu doux, faire fondre un peu de beurre et cuire l'oignon à feu moyen 5 minutes. Ajouter le céleri et cuire environ 5 minutes supplémentaires.

2. Verser le bouillon de poulet dans la casserole et y incorporer la soupe aux tomates. Ajouter les grains de maïs et poursuivre la cuisson environ 15 minutes, ou jusqu'à ce que le riz soit bien chaud.

❄ ❄ ❄

Ce lunch peut être congelé.

NOTES

Chili végétarien

Ingrédients

- 1 **oignon**, coupé en dés
- 1 **poivron rouge**, coupé en dés
- 1 **carotte**, coupée en dés
- 1 branche de **céleri**, coupée en dés
- 1 c. à soupe de **graines de cumin**
- 2 gousses d'**ail**, hachées
- 1 c. à soupe d'**épices Tex-Mex** (voir la recette à la page 170)
- ¼ de tasse de **bouillon de légumes**
- 1 boîte de conserve de **haricots** rouges ou de haricots noirs, selon vos goûts, rincés et égouttés
- ½ tasse de **maïs en grains**
- 2 tasses de **tomates en dés**, fraîches ou en conserve
- Le zeste et le jus d'une **lime**
- Une poignée de **coriandre**, hachée
- Un peu d'**huile**

+ Prévoir ½ tasse de chili pour chaque lunch supplémentaire.

Préparation

1. Dans une casserole chauffée à feu moyen, verser un peu d'huile et sauter l'oignon, le poivron, la carotte et le céleri avec le cumin, l'ail et les épices Tex-Mex 10 minutes.

2. Ajouter le bouillon de légumes, les légumineuses, le maïs et les tomates en dés.

3. Poursuivre la cuisson à feu doux et à couvert 45 minutes. Remuer à l'occasion.

4. Lorsque le chili a atteint la consistance désirée, rectifier l'assaisonnement avec le zeste et le jus de lime.

5. Saler et poivrer, et garnir de coriandre fraîche.

Note : Ce plat est excellent servi seul ou avec des coquilles à tacos, des tortillas ou des chips de maïs. Vous pouvez aussi ajouter un peu de fromage râpé de type cheddar ou mozzarella à la dernière minute. Vous pouvez aussi cuire vos haricots vous-même en suivant les indications du fabricant.

 ❄ ❄ ❄ ───────

Préparation pour le lunch : réserver les restes au réfrigérateur.

 # Fajita

1 portion

Ingrédients

¼ de tasse de chili chaud
1 grande tortilla de farine de blé
1 poignée de laitue iceberg, émincée
1 poignée du fromage de votre choix, râpé
2 c. à soupe de crème sure
Un peu de guacamole (facultatif)

Préparation

1. Garnir la tortilla avec le chili, la laitue, le fromage et la crème sure. Garnir de guacamole au goût et déguster !

NOTES

_____

_____

_____

_____

_____

_____

Index alphabétique des recettes